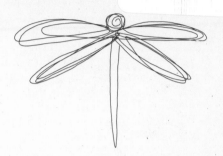

Ne meurs pas libellule

Linda Joy Singleton

Traduit de l'anglais
par Lynda Leith

Copyright © 2004 Linda Joy Singleton
Titre original anglais : Don't die dragonfly
Copyright © 2007 Éditions AdA Inc. pour la traduction française
Cette publication est publiée en accord avec Llewellyn Publications, Woodbury, MN
Tous droits réservés. Aucune partie de ce livre ne peut être reproduite sous quelque forme
que ce soit sans la permission écrite de l'éditeur, sauf dans le cas d'une critique littéraire.

Éditeur : François Doucet
Traduction : Lynda Leith
Révision linguistique : Nicole Demers et André St-Hilaire
Révision : Nancy Coulombe, Suzanne Turcotte
Design de la page couverture et illustration de la libellule : Lisa Novak
Illustration de la couverture : (arrière plan) © PhotoDisc
Montage de la page couverture : Matthieu Fortin
Mise en page : Sébastien Michaud
ISBN 978-2-89667-065-9
Première impression : 2007
Dépôt légal : 2007
Bibliothèque et Archives nationales du Québec
Bibliothèque Nationale du Canada

Éditions AdA Inc.
1385, boul. Lionel-Boulet
Varennes, Québec, Canada, J3X 1P7
Téléphone : 450-929-0296
Télécopieur : 450-929-0220
www.ada-inc.com
info@ada-inc.com

Diffusion
    Canada :   Éditions AdA Inc.
    France :   D.G. Diffusion
                  Z.I. des Bogues
                  31750 Escalquens - France
                  Téléphone : 05-61-00-09-99
    Suisse :   Transat - 23.42.77.40
    Belgique :   D.G. Diffusion - 05-61-00-09-99

Imprimé au Canada

Participation de la SODEC. ꓢODEC
Nous reconnaissons l'aide financière du gouvernement du Canada par l'entremise du
Programme d'aide au développement de l'industrie de l'édition (PADIÉ) pour nos activités
d'édition.
Gouvernement du Québec - Programme de crédit d'impôt pour l'édition de livres - Gestion
SODEC.

Catalogage avant publication de Bibliothèque et Archives Canada

Singleton, Linda Joy

    Ne meurs pas libellule

    (Visions ; 1)
    Traduction de: Don't die dragonfly.
    Pour les jeunes.

    ISBN 978-2-89565-615-9

    I. Leith, Lynda. II. Titre.

PZ23.S56Ne 2007   j813'.54   C2007-941786-8

,LINDA JOY SINGLETON demeure dans le nord de la Californie. Elle a deux grands enfants et bénéficie du soutien de son merveilleux mari, qui adore voyager avec elle à la recherche d'histoires inhabituelles.

Linda Joy Singleton est l'auteure de plus de vingt-cinq livres, incluant ceux des séries *Regeneration*, *My Sister the Ghost*, *Cheer Squad* et *Rencontres de l'étrange*.

À mon mari, David, pour son soutien,
son amitié et une extraordinaire vie à deux.
Un merci particulier à mon éditeur,
Andrew, pour son aide à la réalisation
de ce livre.

Toutes les nouvelles de
Sheridan High bonnes à
imprimer

ELLE

QUOI DE NEUF CETTE SEMAINE
Conseils psychiques du voyant Manny Devries

Romantiques, écoutez ! Protégez votre cœur. Méfiez-vous des fausses promesses et des bijoux de pacotille.

La couleur chanceuse de la semaine est le vert. (Y a-t-il de l'argent inattendu à l'horizon pour vous ?)

Les chiffres chanceux de la semaine sont le 8 et le 11.

Un geste gentil entraînera plusieurs occasions étonnantes.

Et, la fille au tatouage en forme de libellule, ne le fais pas…

L'ÉQUIPE DE FOOTBALL PRÊTE POUR LA BAGARRE

par Vic Wind _____

La première séance d'entraînement de l'équipe de football senior de Sheridan High a eu lieu hier alors que circulaient des rumeurs selon lesquelles des dépisteurs de football de la conférence Pac 10 seraient présents lors de l'importante partie avec

ENSEIGN
par Dolores Haze

Face à un problème
sourcil pour deux ye
atteindrait vingt-cinq
Il semblerait que le
célèbre membre d
le même instinct
tain professeur de d
sans nom est un pr
« Enfin, comment
concentrer sur ce d
quoique que ce s
juste là sur son fron
Megan Atwood.
Sebastian Kni pe
crètement glisse
peut-être a-t-il d'au
préparent à se bre
école secondaire
aucun espoir de

Jerome Dun il y av
ce pieds étaient si
arrivait à la nutes
avant de lui, mai il

Soit alors que
d'autres élèves
principe de chim

1

— Ne fais pas quoi ?

Lorsque Manny se détourna de son écran d'ordinateur pour me faire face, les perles ornant ses tresses rastas s'entrechoquèrent.

— Sabine, est-ce que cette fille tatouée d'une libellule existe ? me demanda-t-il.

— Bien sûr que non, lui répondis-je.

Mon cœur battait la chamade, mais ma voix était calme tandis que je détournais mon regard de l'article que je corrigeais. L'école était finie et, à l'exception de notre professeur, nous étions les derniers dans le laboratoire informatique.

— Tu as demandé des suggestions de prédictions et j'en ai inventé. Si tu n'aimes pas mes idées, trouves-en toi-même.

— Il s'agit d'une chose plutôt étrange, même pour la chronique de Manny, le voyant.

— Utilise mon idée ou pas, peu m'importe.

Je me penchai en avant de façon à ce que mes cheveux blonds tombent et voilent une partie de mon visage. Si Manny découvrait mon secret, tout serait gâché.

— Aide-moi un peu, d'accord ? dit-il en tendant les mains. Ma chronique va aux presses dans trente minutes.

— Sers-toi de tes pouvoirs psychiques pour trouver quelque chose, répondis-je à Manny.

— Ouais, c'est ça, grogna-t-il. Je ne crois pas ces idioties plus que toi.

Je serrai très fort mon stylo rouge.

— Mais tes lecteurs y croient.

— Non, la plupart d'entre eux savent que c'est une grosse blague. « Manny, le voyant, sait tout et dit tout. » Ha ! si je pouvais prédire l'avenir, penses-tu que je perdrais mon temps à l'école ? Aucune chance ! Je choisirais les numéros gagnants au loto et me prédirais un avenir ensoleillé rempli de richesses, de femmes et de plages tropicales.

— Cesse de te regarder le nombril, lançai-je à Manny en regardant ma montre. Il te reste seulement vingt-sept minutes avant l'heure de tombée.

— Binnie, tu es une fille cruelle.

— Venant de toi, je prendrai cela pour un compliment. Et ne m'appelle pas Binnie.

— La plupart des filles seraient flattées si je leur donnais un surnom.

— Je ne suis pas la plupart des filles. Tu as maintenant vingt-six minutes.

Je feuilletai l'édition de la semaine dernière de l'*Écho de Sheridan*. Mon rôle était celui de réviseure, non de chroniqueuse. M'activer sur les virgules et les mots mal orthographiés étaient des tâches qui correspondaient à ma nouvelle image : celle d'être utile et ordonnée. À la suite des problèmes que j'avais rencontrés à mon ancienne école, j'étais soulagée de me fondre dans l'entourage comme si j'étais normale. En collaborant au journal, je faisais partie des élèves « in » du collège et je n'avais pas à révéler trop de choses à mon sujet — un excellent arrangement que je ne voulais pas mettre en jeu. La prochaine fois que Manny me demanderait de l'aide, je crierais un « NON ! » retentissant.

Toutefois, Manny ne se laissait pas décourager si facilement. Il repoussa ses tresses rastas de son front, et son visage se contracta pour montrer une expression piteuse.

— Allons, Sabine. C'est toi qui as les meilleures idées. Celle à propos de la fille tatouée d'une libellule est géniale. Vraiment, c'est une image formidable et mes lecteurs y croiront. Cependant, je ne peux pas seulement dire « Ne fais pas ça » sans savoir la signification du « ça ».

Ça. Ça. Ça. Le mot résonnait comme un mal de tête et je ressentais les étourdissements habituels. Des couleurs vives clignotaient dans ma tête : du rouge cramoisi tourbillonnant avec du noir néon. Et j'entendis des battements d'ailes déchaînés : l'avertissement d'un danger.

« Pas encore », pensai-je avec anxiété. Je n'avais pas eu de visions depuis que j'avais emménagé à Sheridan Valley, et je croyais bien en avoir terminé avec ces bizarreries. Il était fini le temps de la dingue qui prédisait les événements mais qui n'avait pas le pouvoir de les changer.

Les étourdissements s'aggravèrent et je combattis pour garder le contrôle. En trébuchant, j'attrapai le bord de la table pour éviter de tomber.

J'entendis une voix lointaine, celle de Manny, qui demandait ce qui n'allait pas ; puis les lumières de la salle de classe clignotèrent et le bourdonnement des ordinateurs s'affaiblit jusqu'à devenir un grondement éloigné.

Tout était noir, comme si je nageais dans une mer trouble la nuit. Soudain, une lueur jaillit et brilla de plus en plus fort, prenant la forme d'une fille. Cette dernière était éblouissante ; elle avait des cheveux de jais ondulés et une peau olivâtre qui scintillait comme la brume de mer.

La fille leva la main vers le ciel et une minuscule créature d'un noir violacé aux ailes irisées et aux antennes frémissantes se posa sur son poignet. C'était une libellule ! La fille sourit et lui caressa les ailes. Cependant, son sourire se figea d'horreur au moment où la créature se transforma en un monstre qui lui enfonça des dents pointues dans sa douce peau. Le sang gicla, déferlant comme une marée. La fille ouvrit la bouche pour crier à l'aide, mais il y eut seulement un flot de vagues cramoisies, puis elle disparut.

« Non, non ! » essayai-je de hurler. Cependant, j'étais incapable de la sauver, prise dans un sombre courant de désespoir qui m'entraînait dans les profondeurs d'une mare de sang.

* * *

— Hé, Saby ?

Le souffle court, je clignai des yeux et vis les yeux noirs de Manny qui me fixaient avec inquiétude. Les étourdissements cessèrent et je retrouverai toute ma tête.

— Quoi ? murmurai-je.

— Es-tu souffrante ?

Les lumières devinrent plus intenses et je réalisai que je serrais toujours la table à laquelle je m'étais agrippée. Je relâchai ma prise.

— Je vais bien.

Manny me toucha gentiment l'épaule.

— Tu n'as pas l'air bien. Qu'est-ce qui ne va pas ?

— Rien, un peu fatiguée, répondis-je, en respirant rapidement.

— Pourtant, tu trembles de tout ton corps, constata Manny.

— J'imagine que l'examen de mathématique a drainé toute mon énergie, réussis-je à dire en riant nerveusement. Je... je viens juste de me rappeler que je dois me rendre à quelque part.

— Mais, Saby...

— Désolée ! On se parle plus tard, tonnai-je en m'enfuyant à la course comme si une multitude de démons ailés me pourchassaient.

2

LE TEMPS QUE J'EFFECTUE UN VIRAGE SERRÉ À gauche sur Lilac Lane, une route non pavée et pleine de nids-de-poule, les sombres images s'étaient évanouies.

Mes craintes s'apaisèrent une fois que j'eus passé la grille en fer de l'allée de garage de Nona. La maison jaune marquée par les intempéries était mon havre de paix depuis que j'étais toute petite, un abri où rien ne pouvait m'atteindre. J'adorais cette chaleureuse maison de campagne ceinturée d'une vaste galerie, la grange rouge aux formes irrégulières, les vaches, les chèvres, les chevaux, les poules, les chiens et les chats.

Vingt-cinq hectares de forêt enchevêtrée s'étiraient loin derrière le pâturage, se butant contre de nouvelles agglomérations urbaines. Sheridan Valley était autrefois une ville agricole paisible mais, en raison de son emplacement central, sa population avait explosé ; le patelin était devenu attrayant car il permettait de faire la navette facilement jusqu'à Stockton ou Sacramento. Malgré tout, la ville conservait un rythme lent et le charme de la campagne, et j'étais vraiment heureuse depuis que j'y habitais. En dépit des maisons cossues qui se construisaient tout autour, la demeure de Nona était mon paradis.

De plus, il y avait Nona. Agenouillée dans le jardin, elle portait un large chapeau de paille jetant de l'ombre sur son visage ridé. Nona avait tant fait pour moi ; elle m'avait accueillie lorsque mes parents m'avaient abandonnée et m'avait dorlotée pour guérir mes profondes blessures.

En l'observant s'occuper de son jardin, j'eus envie de me précipiter dans ses bras réconfortants. Elle connaissait tout à propos des visions et des prédictions. Plus que toute autre personne, elle comprendrait mon anxiété. Cependant, je ne pouvais lui faire de confidences — à cause du mensonge.

En poussant un soupir, j'évitai Nona en passant derrière la maison. Puisque je n'avais personne à qui parler, je me débarrasserais de mes démons avec de la musique à plein volume et en prenant un bain moussant parfumé.

Pendant que je montais l'escalier de bois de la maison à la hâte, des poules s'écartèrent de mon chemin en piaillant et un chat blanc aux yeux dépareillés m'observa solennellement.

— Ne me regarde pas comme ça, Lilybelle. J'ai eu une mauvaise journée et je n'ai pas besoin de subir ton attitude.

Je caressai la fourrure soyeuse de l'animal et poussai la porte moustiquaire.

Il y avait une odeur inhabituelle dans l'air, une odeur rance et un peu étrange. J'essayai d'identifier l'effluve en traversant la salle de lavage, puis la cuisine. Cette odeur me rappelait un matin ensoleillé après un orage d'été alors que l'air était frais, léger, et à la fois un peu lourd. Nona avait-elle concocté un nouveau désodorisant aux herbes pour tapis ? Elle n'utilisait que des produits naturels comme nettoyants et remèdes, par exemple du shampoing aux aiguilles de pin écrasées, du savon au lait de chèvre et un élixir de pétales de rose et de miel pour le mal de gorge. L'odeur devenait plus forte à mesure que je longeais l'étroit corridor décoré de photos de famille : maman, lorsqu'elle était bébé ; mes parents, le jour de leur mariage ; et les photos des trois défunts maris de Nona.

Un bruit de clapotement m'arrêta net. Il venait de la salle de bain. C'était toutefois impossible, car Nona et moi vivions seules.

Je regardai au fond du couloir, puis fis demi-tour pour me rendre à la cuisine afin d'attraper un balai — pas que j'avais besoin d'une arme, mais ça ne pouvait pas nuire. Le brandissant devant moi comme une épée, j'avançai avec précaution dans le couloir. La porte de la salle de bain était entrouverte et je pouvais voir par l'ouverture que l'évier était rempli d'eau à ras bord. Un grand oiseau était perché sur le robinet d'argent. Un faucon ! Pourquoi un faucon prenait-il un bain dans mon évier ?

Cependant, l'oiseau n'était pas seul.

Lorsque j'aperçus l'ombre d'une silhouette près du panier à linge, je fus tellement surprise que je laissai tomber mon balai. L'oiseau cria et agita ses ailes puissantes. Avant que je puisse hurler, la personne dans l'ombre bondit sur moi. Le garçon lança un bras autour de mes épaules et plaqua son autre main sur ma bouche.

— Chut ! m'ordonna-t-il dans un murmure sec. Ne fais pas un seul bruit.

Je me débattis, le frappant et lui donnant des coups de coude. Or, sa prise était ferme. Il me tira à l'extérieur de la salle de bain. Mon état de choc se mua en colère. Comment ce garçon osait-il m'attaquer dans ma propre maison ! Je lui assenai un coup de pied dans les jambes aussi fort que je le pus.

Il grogna de douleur.

— Arrête ça ! cria-t-il.

Je lui donnai un autre coup de pied et, lorsqu'il recula quelque peu, la main qu'il tenait sur ma bouche se desserra et j'en profitai pour la mordre. Énergiquement.

— Aïe ! Ça m'a fait mal !

— Parfait !

Je me tortillai et échappai à son emprise.

— J'espère que ça saigne, ajoutai-je.

— Bon sang, ta morsure est pire que celle d'un blaireau, se plaignit le garçon en suçant sa main blessée. Nona était loin du compte lorsqu'elle m'a parlé de toi.

Je reculai jusqu'au mur.

— Tu connais ma grand-mère ?

— Pourquoi serais-je ici, sinon ?

— À toi de me le dire ! Et qu'en est-il de cet oiseau ?

Les bras serrés contre ma poitrine, je fixai le garçon et le vit vraiment pour la première fois. Il était plutôt jeune, peut-être dix-sept ou dix-huit ans. Il mesurait quelques centimètres de plus que moi, soit environ un mètre quatre-vingt. Son corps était maigre et nerveux ; il avait des bras musclés, des cheveux châtains et des yeux comme des miroirs bleu argenté. Son jean était foncé et il portait une chemise de flanelle brune déboutonnée sur un t-shirt bleu délavé.

— Ce faucon avait les ailes tachées d'huile, expliqua-t-il. Alors, je l'ai emmené à l'intérieur afin qu'il puisse se laver. Désolé si je t'ai fait effrayée.

— Je n'ai pas eu peur.

— Je ne voulais pas que tu fasses sursauter Dagger.

Il jeta un coup d'œil vers la salle de bain où j'entendais un bruissement d'eau.

— Tu *possèdes* un faucon ? questionnai-je.

— On ne peut pas posséder des animaux sauvages, mais ce faucon me fait confiance. Si tu avais crié, il aurait paniqué et il se serait blessé. Hé, détends-toi. Je ne vais pas t'attaquer.

— Ah ! merci bien, rétorquai-je avec sarcasme. Je suis tellement rassurée. D'après toi, qu'est-ce qui vient tout juste de se passer ? C'était une poignée de main amicale ?

— Hé, c'est moi qui saigne.

Le garçon tendit sa main. Le demi-cercle rougeâtre laissé par mes dents contrastait avec sa peau bronzée. Du sang s'échappait de la blessure la plus profonde.

J'ignorai sa main et lui lançai un regard enflammé.

— Explique-toi, ordonnai-je. Que fais-tu ici ?

— Je l'ai invité.

Je me retournai et j'aperçus Nona. Elle portait toujours son chapeau de paille à large bord et sa joue était tachée de terre.

— Tu l'as… tu l'as…? balbutiai-je. Mais pourquoi ?

— Dominic vivra ici pour me seconder dans les réparations à effectuer et pour prendre soin des animaux.

— Pourquoi engager quelqu'un ? Je peux t'aider.

— Pas de la façon dont il peut le faire. Alors, cesse de te montrer inamicale et souhaite-lui la bienvenue, Sabine.

Nona sourit.

— Dominic fait partie de la famille maintenant.

3

APRÈS AVOIR CLAQUÉ LA PORTE DE MA CHAMBRE, je fouillai dans mes CD pour trouver quelque chose d'approprié à mon humeur.

Si j'avais été à l'école, j'aurais écouté les artistes en vogue sur lesquels tout le monde s'extasiaient. Par contre, à la maison, je pouvais être moi-même et me laisser emporter par ma passion pour la musique éclectique. Cette musique me réconfortait, un peu à la manière de ces aliments qui peuvent apaiser les émotions de certaines personnes : classique pour les moments d'introspection, jazz pour les occasions heureuses et heavy metal pour les humeurs sombres et violentes.

Toutefois, en ce moment, même les pulsations de Metallica et les bulles au parfum de rose n'arrivaient pas à me calmer. Comment Nona avait-elle pu inviter un étranger à venir vivre avec nous, et ce, sans même m'en parler ? C'était injuste. Nona et moi, nous nous étions confortablement installées dans nos habitudes quotidiennes et nous nous entendions à merveille. Nous n'avions besoin de personne d'autre. Ni de mes parents ni de voisins — et certainement pas d'un gars bizarre possédant un faucon.

Je retins mon souffle et me laissai couler au fond d'un bain d'eau tiède.

Cesse de t'apitoyer sur ton sort, dit une voix.

« Laisse-moi, Opal, répliquai-je en pensée. J'ai assez de problèmes comme ça. »

Tu n'as aucune idée de ta chance. Quand j'avais ton âge…

« Pas une autre de tes histoires ma-vie-était-un-enfer. » Ne pouvant retenir mon souffle plus longtemps, je remontai à la surface pour respirer. La musique faisait vibrer les murs, mais la voix dans ma tête retentit encore plus fort. Les yeux encore fermés, je pouvais voir les sourcils bruns arqués et les yeux foncés d'Opal. Comme guide spirituelle, elle était vraiment enquiquineuse.

Tu as été impolie avec ce jeune homme, se plaignit-elle. *Ne t'ai-je pas enseigné les bonnes manières ? Il est important, tu sais — enfin, tu le saurais si tu écoutais au lieu d'être si têtue.*

« Sors de ma tête, lui dis-je. Je suis normale à présent. Ma meilleure amie est formidable et, en plus, pom-pom girl ; je fais partie du personnel de rédaction du journal de l'école ; et les jeunes m'aiment parce que je n'entends pas de voix, que je ne vois pas de fantômes et que je ne prédis pas la mort. J'ai pris un nouveau départ et je ne veux pas que tu t'en mêles.

Râle, râle, râle. Tu ne peux échapper à ce que tu es ; à quoi bon combattre ta nature ?

« Va-t-en. »

Je sortis du bain en faisant une mare d'eau, j'attrapai une serviette et arrêtai net le CD.

Après m'être habillée, je grimpai à ma chambre par l'escalier en colimaçon. Quatre mois auparavant, avant que j'y emménage, cette chambre était un grenier. Nona m'avait proposé la chambre d'ami située à côté de son cabinet de travail, mais je l'avais suppliée de me donner la douillette pièce mansardée au plafond voûté qui offrait une vue sur la forêt.

Nona m'avait donné carte blanche pour la décorer. J'avais opté pour une palette lavande, drapé les fenêtres d'un tissu soyeux et disposé de petits tapis en forme de marguerite sur le plancher de bois poli. Comme pour la musique, j'avais des goûts « différents » concernant mes passe-temps. J'avais récemment entrepris de broder un oreiller pour l'assortir à mon édredon blanc et violet. Je conservais mon matériel de bricolage dans une malle en cèdre qui appartenait auparavant à la mère de Nona.

Le travail manuel réussissait toujours à me détendre. Alors, j'ouvris la malle et retirai mon oreiller. J'y avais déjà brodé la moitié d'un paysage d'hiver à l'aide de fils de différents tons, du blanc neigeux à la lavande pâle. Au premier coup d'œil, les brins paraissaient tous blancs. Pourtant, lorsqu'on les observait de plus près, les formes se précisaient — un hibou, un bonhomme de neige, des collines, des arbres et une maisonnette recouverte de neige.

Piquant et repiquant mon aiguille, je m'appuyai sur le coussin de ma banquette située sous la fenêtre et je regardai fixement par-dessus les luxuriants pins verts. C'était fantastique de vivre chez Nona et je n'avais jamais été si heureuse. Alors, pourquoi gâchait-elle tout en l'invitant, lui ?

— Ça ne va pas du tout, dis-je en me plaignant à mon amie à l'école le lendemain. Il n'est même pas aimable et, depuis le malheureux incident dans la salle de bain, il m'évite.

— Il est peut-être timide, suggéra Penny Lovell — surnommée Penny-Love — en claquant la porte de son casier.

Nous nous rencontrions tous les matins devant nos casiers afin d'échanger les derniers potins. Avec ses cheveux cuivrés, Penny-Love était éblouissante comme le soleil ; cette fille était au cœur de la vie sociale à l'école et, en général, c'était elle qui faisait la conversation. Ce jour-là, c'est moi qui avais beaucoup de choses à raconter.

— Il n'est pas gêné, il a plutôt une mauvaise attitude. Pourtant, à voir comment

Nona se comporte avec lui, on croirait qu'il fait partie de la royauté. Il oublie souvent de se présenter à la maison pour le dîner et, lorsqu'il le fait, Nona lui apporte un plateau — comme si elle travaillait pour lui, non le contraire.

— Ta grand-mère agit simplement par gentillesse.

— Ça va au-delà de la gentillesse ordinaire. Elle lui a cédé l'appartement dans la grange, lequel est plus grand que ma chambre. Il dispose de l'électricité et d'une salle de bain privée. Et Nona a dit qu'elle lui achèterait un petit réfrigérateur. Peux-tu croire ça ?

Penny-Love s'arrêta pour envoyer la main à un groupe de filles qui passaient. Puis, elle pivota vers moi.

— Ben, ouais. Par contre, tu ne m'as pas parlé des détails importants. Par exemple, de *quoi* il a l'air.

— Il est juste bizarre, dis-je en fronçant les sourcils. Il y a quelque chose d'étrange dans son comportement et je n'arrive pas à mettre le doigt sur ce que c'est, mais ce n'est qu'un sentiment.

Penny-Love rigola.

— Peut-être devrais-tu demander conseil à Manny, le voyant. As-tu lu sa chronique ?

— Est-elle déjà publiée ?

— Ouais, et elle est meilleure qu'à l'habitude, annonça Penny-Love.

Elle ouvrit la fermeture éclair de la poche de son sac à dos et en sortit un journal plié.

— Regarde-moi ça, poursuivit-elle.

Mes doigts tremblèrent légèrement en dépliant le journal. Une libellule aux ailes ensanglantées surgit dans ma tête. Je chassai cette image de mon esprit et me concentrai sur le journal.

Penny-Love avait raison : Manny s'était surpassé. Il avait ajouté un dossier « Pleins feux sur l'avenir » dans lequel il choisissait une élève au hasard et prédisait ce que serait sa vie dans dix ans. L'étudiante de deuxième année Amanda Redmond était destinée à une merveilleuse carrière de créatrice de mode ; elle épouserait un pilote d'avion et aurait trois enfants, tous des garçons.

Lisant par-dessus mon épaule, Penny-Love gloussa.

— Amanda ? Une créatrice de mode ? Ce sera quand les poules auront des dents.

— Pourquoi ? demandai-je.

— Elle porte des vêtements du surplus de l'armée et des bottes de randonnée trop grandes. Elle n'a aucun style.

Je trouvais que Penny-Love était un peu dure mais, puisque notre amitié était récente, je n'ajoutai rien à ses commentaires.

Reportant mon regard sur le journal, je parcourus rapidement les prédictions suivantes. Quelques-unes étaient des suggestions que j'avais faites à Manny, comme la couleur chanceuse. En jetant un coup d'œil sur les vignes brodées sur la jambe de mon jean, je souhaitai que le vert se révèle vraiment chanceux.

Lorsque j'atteignis la fin de la chronique sans avoir vu de mention à propos de la fille tatouée d'une libellule, j'en fus soulagée — et déçue. J'étais contente que mon idée idiote ne soit pas imprimée et que tous ne puissent la lire. Pourtant, je me sentais troublée, comme si j'avais laissé tomber quelqu'un.

— Extra, non ? dit Penny-Love alors que nous arrivions à notre salle de classe. Je veux dire, je n'y crois pas mais, peu importe, c'est amusant. Où Manny trouve-t-il toutes ses idées ?

— Il a une imagination fertile. S'il n'obtient pas le Pulitzer, dont il n'arrête pas de parler, il sera un excellent journaliste à potins.

— C'est une prédiction ? me taquina mon amie.

— Non ! répondis-je un peu trop brusquement. Je crois seulement aux faits.

— Comme le fait que tu aies un petit penchant pour Josh.

Penny-Love me donna un coup de coude et pointa un garçon aux cheveux foncés au moment où nous prenions nos places.

— Vas-tu un jour lui dire ce que tu ressens ? poursuivit-elle.

Mon regard se porta sur les différents bureaux de la classe. Tout à coup, il se mit à faire très chaud dans la pièce et je ne pus m'arrêter de fixer Josh DeMarco. Il était le président du conseil des étudiants de première, un élève émérite, un bénévole dévoué et un être si parfait que le rythme de mon cœur s'accélérait du seul fait que je sois près de lui. Il était trop parfait pour être vrai, et peut-être trop parfait pour moi. Je n'avais pas encore eu le courage de lui parler, et je ne l'aurais probablement jamais.

La matinée passa très vite : il y eut un examen impromptu en littérature anglaise et des devoirs supplémentaires en espagnol. Je mangeais toujours mon repas du midi à la cafétéria avec Penny-Love et son groupe de pom-pom girls mais, ce jour-là, j'avais oublié mon cahier de mathématique et je dus faire un détour par mon casier. Au moment où je prenais mon cahier, du coin de l'œil j'entrevis des cheveux foncés et un sourire si doux que j'en eus le souffle coupé.

Josh.

Josh saluait de la main ses amis Zach et Evan, et avançait dans ma direction. Dans quelques secondes, il passerait ici, à quelques centimètres de moi. C'était l'occasion pour moi de lui parler, de savoir s'il connaissait mon nom et s'il avait envie d'en apprendre davantage. Ouais, comme si c'était possible ! Si j'arrivais seulement à prononcer un mot, ce serait un miracle.

Par contre, je ne pouvais laisser ce garçon me surprendre à le fixer du regard. Alors, je me penchai vers mon casier — trop près ! Je me cognai la tête sur la porte et lâchai mon cahier, qui tomba au sol. Le temps de le ramasser et de fermer mon casier, Josh était passé.

Je gémis tout bas et le regardai s'arrêter pour parler à une fille aux longs cheveux bruns, puis rire des propos de l'étudiante avant de poursuivre son chemin.

Les sons ambiants diminuèrent et une brume enveloppa mon esprit, obscurcissant tout sauf Josh. C'était comme si je me tenais à côté de lui, marchant au rythme des battements de son cœur. Je pouvais même entendre ses pensées. Il songeait à sa voiture — une Honda Civic usagée — et planifiait passer par le magasin de pièces d'auto après l'école pour réparer un feu arrière défectueux. Sans faire attention, il entra dans sa classe de mécanique automobile. Je sentis une odeur de graisse et je vis un professeur qui aidait un garçon frêle à déplacer une voiture sur un pont élévateur.

Josh se dirigea tout droit vers un coffre à outils, s'accroupissant pour fouiller dans le tiroir du bas. Il se tenait directement devant le pont élévateur, et lui tournait le dos.

J'étais encore avec Josh en pensée au moment où je fermai mon propre casier et que je commençai à marcher vers l'atelier de mécanique automobile qui se trouvait au bout du couloir.

J'entrai dans la salle de classe donnant sur l'atelier. Deux élèves me remarquèrent ; l'une d'elles était dans mon cours de mathématique.

— Hé, Sabine, me dit-elle.

Moi, je ne prononçai pas un mot.

Josh était toujours penché sur le tiroir, cherchant quelque chose. J'entendis dans ma tête « Clé à bougie ». Le garçon frêle tenait à présent le contrôle à distance du pont élévateur, alors que le professeur s'était détourné pour aider une autre personne.

Je me tenais dans le cadre de porte de l'atelier, à quelques enjambées rapides de Josh. Je fis un petit pas vers lui.

Il y eut un grand bruit grinçant et des étincelles jaillirent d'une machine à l'autre bout de l'atelier. Josh cherchait encore. Il n'avait aucune idée. Le garçon à gauche poussa timidement sur le bouton vert du contrôle. Les roues n'étaient pas stables ; je le savais, tout simplement. Le bruit était si fort ; néanmoins, je pouvais, je ne sais comment, entendre ce qui se passait dans la tête de Josh : « Où est cette stupide chose ? »

Tout à coup, il y eut un bruit semblable à une détonation et une des roues de l'auto glissa hors de la plateforme. Le garçon frêle pressa frénétiquement le bouton rouge du contrôle, mais la voiture roula vers l'avant. Je me déplaçais maintenant à grandes enjambées vers Josh. C'était tellement bruyant ! En courant, je le rejoignis et le poussai avec force. Nous trébuchâmes sur le côté au moment où la voiture sortit complètement du pont élévateur pour s'écraser sur le coffre à outils devant lequel Josh se tenait quelques secondes auparavant.

Le bruit cessa. Josh me regarda. D'ailleurs, tout le monde me regarda.

— Quoi ? dit Josh, confus. Qu'est-ce qui vient de se passer ?

J'enlevai la poussière sur mon jean en me relevant. Je tremblais. Je ne pouvais rien dire car j'en avais encore le souffle coupé.

Josh lissa ses cheveux foncés vers l'arrière ; il était si grand qu'il me dépassait au moins d'une tête.

— Est-ce que je te connais ? demanda-t-il.

— Heu… bien…

« Et voici mademoiselle communication en action ! » pensai-je.

Josh sembla enfin réaliser ce qui s'était passé en regardant le coffre à outils écrasé et la voiture amochée.

— DÉMENT ! Elle m'a presque frappé. Incroyable !

Je réussis à hocher la tête faiblement.

Le professeur se précipita vers nous et, après s'être rapidement assuré que Josh allait bien, appela ses étudiants afin qu'ils l'aident à déplacer la voiture.

Je m'apprêtais à partir lorsque Josh me toucha le bras.

— Attends.

J'attendis.

Le garçon écarta les cheveux de ses yeux pour m'observer.

— Je ne comprends pas vraiment ce qui s'est passé, mais je sais que je te dois un grand merci.

— Bien...

Le fait d'être si près de lui m'empêchait de penser.

— Comment as-tu su ?

— Heu, je... répondis-je en prenant une profonde respiration. J'ai entendu les roues glisser.

— Comment as-tu pu ? lança-t-il en haussant ses sourcils foncés. C'était trop bruyant pour entendre quoi que ce soit.

— Tout le monde dit que j'ai l'ouïe exceptionnellement développée.

Ai-je vraiment dis ça ?

— Une chance pour moi.

— C'est le vert, expliquai-je en pointant son chandail. C'est chanceux.

Josh cligna des yeux comme s'il n'avait aucune idée de ce dont je parlais.

— Ne lis-tu pas Manny, le voyant ? Il a une chronique hebdomadaire qui est fabuleusement populaire. Tu en as certainement entendu parler.

Je babillais comme une idiote. Maintenant que je discutais avec le garçon de mes rêves, je ne voulais pas que la conversation cesse.

— Ah oui, je vois de quoi tu parles ! s'exclama Josh.

— Tu sais donc que Manny écrit pour l'*Écho de Sheridan*.

— Ah, le journal de l'école. J'ai été interviewé par un de ses reporters il y a quelques semaines.

— Dans l'édition du 13 septembre, je crois.

Je n'ajoutai pas que j'avais découpé l'article et que je l'avais épinglé sur le babillard dans ma chambre à coucher. Je n'arrêtais pas de babiller.

— Dans chaque édition, Manny choisit une couleur chanceuse et, cette semaine, c'est le vert. Tu vois, je porte même des vignes vertes sur mon jean.

— Beau modèle, me félicita Josh.

Était-il en train de m'examiner ? Aimait-il ce qu'il voyait ? J'étais un peu maigre et j'avais une poitrine peu développée qui me faisait ressembler plus à une gamine de douze ans qu'à une fille de seize. Cependant, mon visage était bien ; Penny-Love disait que mes longs cheveux blonds étaient mon meilleur atout et que la mèche noire qui zébrait mes cheveux était épatante. Malgré tout, je doutais de moi. J'avais peur que Josh jette un œil sur moi et qu'il ne se sauve en courant.

Pourtant, il était toujours là et il souriait d'une façon qui me réchauffait le cœur.

— Je t'ai déjà vue, dit-il. Je crois que c'est au cours d'anglais.

Je levai les yeux, fixai mon regard dans ses yeux brun foncé et hochai la tête pour acquiescer.

— Sabrina, n'est-ce pas ?
— Sabine.
— Je m'appelle Josh.
— Je sais.

Son sourire s'élargit et des fossettes apparurent sur ses joues.

— Je pense que je te dois un grand merci. Si tu n'avais pas une si bonne ouïe, je serais peut-être mort…

— Non ! Peut-être une ou deux jambes fracturées.

— Mais je suis en un seul morceau.

Le garçon fit une courte pause.

— Je t'en dois vraiment une, poursuivit-il. Il doit y avoir quelque chose que je peux faire pour régler ma dette envers toi…

— Non, non ! Tu n'es pas obligé de…

— Mais je veux… apprendre à te connaître.

— Eh bien… oui, ce serait extra.

— Est-ce que tu fais quelque chose plus tard cette semaine ? Aimerais-tu aller voir un film ?

Si je voulais ! J'aurais aimé m'écrier « Bien sûr que oui », mais je ne le fis pas ; je conservai plutôt ma dignité et répondis simplement « O.K. ».

4

UN RENDEZ-VOUS !

Penny-Love s'étouffa presque dans ses pompons lorsque je lui racontai mon histoire. Après l'école, les autres pom-pom girls se regroupèrent autour de moi pour en connaître les détails. J'hésitais à tant parler de moi ; j'étais mal à l'aise d'être le centre d'attention. Mais les meneuses de claque insistèrent et je cédai à leur invitation, me délectant d'être soudainement presque populaire. Une situation tellement différente de celle que j'avais vécue à mon ancienne école.

Je ne tenais plus en place à l'idée de parler de Josh à ma grand-mère. Nona était une experte dans le domaine de la romance. Elle dirigeait une agence de rencontres en ligne appelée « Fusions des âmes sœurs ». À la fine pointe de la technologie, elle utilisait des graphiques d'analyse de compatibilité et des vidéos personnelles. Bien sûr, son incroyable taux de succès n'avait rien à voir avec la technologie, mais ses clients n'en savaient rien.

Laissant tomber mon sac à dos sur le plancher du salon, je partis à la recherche de ma grand-mère. Toutefois, elle n'était ni dans la cuisine ni dans son cabinet de travail. La lumière de son répondeur clignotait, comme pour demander « Où est Nona ? »

Bonne question.

Je sortis et regardai dans le jardin, le poulailler et le pâturage. Il ne me restait que la grange à explorer.

J'étais encore contrariée par le fait que Nona ait embauché Dominic, mais même cette pensée ne pouvait miner mon moral en cette belle journée. Tandis que je jetais un coup d'œil dans la grange rouge aux formes irrégulières, j'imaginais la réaction enthousiaste de ma grand-mère à l'annonce de ma grosse nouvelle.

— Nona ? appelai-je.

Il n'y eut pas de réponse, mais je perçus une odeur de lavande brûlée. Curieuse, je poussai la porte. La lumière du jour jaillissait par une haute fenêtre, projetant des reflets dorés sur les meules de foin. Mes pas étaient légers sur la paille qui jonchait le sol. Un veau, qui avait été mis dans un enclos pour sa propre sécurité car il boitait, meugla en direction de deux chats qui se pourchassaient l'un l'autre sur la rampe de bois. J'avais toujours adoré cette grange, l'odeur fétide du foin et les animaux, même l'occasionnel rat qui filait à toute allure.

Mon regard pointa en haut de l'escalier, vers le loft. Cette pièce était interdite du vivant du dernier mari de Nona, lequel l'utilisait comme studio d'artiste. J'entendis un murmure de voix à travers la porte close ; celles de ma grand-mère et de Dominic. Un bruit de roulement sourd piqua ma curiosité. Je montai donc les marches à pas de loup. Après avoir hésité quelque peu, je tendis la main vers la porte et, au contact de mes doigts, elle s'ouvrit de quelques centimètres.

Ma grand-mère était assise, jambes croisées, sur un petit tapis rond et faisait face à Dominic. Des chandelles vacillaient et de l'encens à la lavande laissait échapper une fumée suave vers le plafond. En murmurant, Nona tendit à Dominic une main remplie de petites pierres : des cristaux étincelants, des améthystes et du jade. Des pierres pour la méditation et la guérison. Les vrais outils utilisés dans le commerce romantique de Nona.

Pourquoi ma grand-mère montrait-elle des pierres précieuses à un étranger qu'elle avait engagé pour réparer la grange, nourrir les animaux et nettoyer les stalles ? Ça me donnait la nausée de savoir que Nona me cachait quelque chose. Un secret, c'était presque un mensonge. Et je savais trop bien comment un mensonge pouvait mener à un autre, et encore à un autre.

Je reculai sans me faire remarquer et m'enfuis.

Je me dis qu'il était enfantin de me sentir blessée, rejetée, comme la gamine qui est choisie en dernier pour faire partie d'une équipe ; c'était pourtant ce que je ressentais. La bulle de bonheur dans laquelle j'avais flotté en me rendant à la maison venait d'éclater.

Je claquai la porte derrière moi en entrant et me dirigeai vers la cuisine où je me versai un verre de lait et déchirai un sac de croustilles de blé. Je venais de ranger le lait lorsque le téléphone sonna.

Plutôt que de répondre immédiatement, je m'adonnai à un jeu d'enfance. En fermant les yeux et en me concentrant, j'essayai de faire apparaître dans mon esprit l'image de la personne qui appelait. Je réalisai avec soulagement qu'il ne s'agissait pas de mes parents. Il s'agissait de quelqu'un de plus jeune, ni Amy ni Ashley, mes sœurs jumelles de neuf ans. C'était quelqu'un de plus âgé qui ne faisait pas partie de la famille. Un mâle aux cheveux foncés…

« OH MON DIEU ! » m'exclamai-je en saisissant le combiné avant que la cinquième et dernière sonnerie ne se fasse entendre.

C'était Josh ! Il voulait me demander si j'étais d'accord pour que son ami Evan et la dernière conquête de ce dernier se joignent à nous pour la séance de ciné du vendredi soir.

— Oui, oui, oui ! Tout ce que tu veux, Josh.

Grâce à un simple coup de fil, ma bulle de bonheur était de retour. Pendant le reste de la soirée, je syntonisai dans ma tête un poste où Josh était la vedette de toutes les émissions. J'appelai Penny-Love et nous fîmes un marathon téléphonique, discutant de ce que je devrais porter vendredi et de jusqu'où on pouvait se permettre d'aller lors d'un premier rendez-vous.

— Ce n'est pas comme si je n'avais jamais eu de rendez-vous, lui expliquai-je, bien que ce soit le premier depuis que j'ai emménagé ici.

— Avais-tu un petit ami à ton ancienne école ?

— Quelques-uns, répondis-je d'une manière évasive, ne voulant pas aborder le sujet de mon passé. De toute façon, je ne serai même pas seule avec Josh puisqu'il s'agit d'un rendez-vous à quatre. Je serai chanceuse si je reçois un baiser à la fin de la soirée.

Penny-Love entreprit alors de me raconter tous les détails juteux à propos de ses baisers d'au revoir les plus mémorables. Nous parlions toujours lorsque Nona rentra enfin après la tombée du jour. Ma grand-mère ne me raconta pas ce qu'elle avait fait, et je ne lui parlai pas de Josh.

Lorsque je me préparai à me mettre au lit, je choisis une veilleuse en forme de cœur et espérai faire de doux rêves de Josh. J'avais toujours eu peur de l'obscurité ; donc, aussi enfantin que cela puisse paraître, je ne dormais jamais sans une veilleuse, ce qui m'avait conduite à en avoir une grande collection. Des lumières électriques en forme de chatons, de dauphins, d'arcs-en-ciel, d'anges, de papillons, et un vitrail avec des dragons lançant des flammes.

Cette nuit-là, plutôt que de rêver à des cœurs, je rêvai de dragons. Ces affreuses créatures me poursuivaient en soufflant des flammes brûlantes et leurs dents tranchantes ressemblaient à de mortels couteaux blancs. Je courais et je courais, appelant Josh à la rescousse. Soudain, il est apparu, grand et beau, pour attraper ma main. Il me protégea avec un bouclier d'argent, évitant les jets de flammes. Nous filâmes à travers un labyrinthe d'abondantes épines qui se transformèrent en un dragon géant.

Il y eut un bruit assourdissant ; le dragon avait des ailes qui lui poussaient et il tentait de les faire battre. Josh glissa et commença à tomber, mais je me précipitai vers lui pour le saisir par la main. Nous tenant fermement, nous nous serrâmes l'un contre l'autre pendant que le dragon volait toujours plus haut, dans une direction inconnue. Puis, le dragon se transforma, ses épines devenant des plumes soyeuses et ses canines s'incurvant en un bec pointu. Portés par un vent fort, nous volions sur l'oiseau géant. C'était un faucon. Je regardai Josh, qui lui aussi était différent. Ses cheveux foncés s'étaient allongés et ils avaient pâli jusqu'à devenir châtains, et ses yeux étaient devenus bleus comme le ciel. Dominic…

À ce moment, je me suis assise bien droit dans mon lit.

Mon cœur s'emballait et mes mains étaient moites. Malgré la lueur rassurante de ma veilleuse, je sentais les ombres dans ma chambre bouger et respirer. J'avais l'impression que je n'étais pas seule.

Je n'étais jamais seule.

Je me précipitai hors de mon lit pour activer l'interrupteur mural et éclairer la pièce.

Je me glissai ensuite sous mes couvertures et plongeai dans un sommeil agité, mais sans rêves.

* * *

Le lendemain matin, lorsque je me rendis à mon casier pour rencontrer Penny-Love, j'y trouvai plutôt Josh ; ce fut le commencement d'une journée parfaite.

En un rien de temps, j'étais devenue la petite amie de Josh. Plutôt que de m'asseoir avec les meneuses de claque à l'heure du midi, je sortais avec Josh à l'extérieur et nous nous asseyions sous un saule pleureur pour partager sandwichs et croustilles tout en discutant. En général, je l'écoutais me décrire son intérêt pour la magie, non celle que j'avais évitée toute ma vie, mais celle portant sur des trucs amusants.

Josh pratiquait des tours pour se joindre à une organisation de magiciens professionnels. Cette dernière était si secrète qu'il ne pouvait en révéler beaucoup à son sujet ; apparamment, seuls les magiciens les plus respectés et les plus talentueux y étaient admis. La rumeur voulait que son mentor, l'incroyable Arturo, soit un cousin éloigné de Houdini.

— Pourquoi t'es-tu intéressé à la magie ? demandai-je, impressionnée qu'un garçon populaire comme Josh pratique un passe-temps si inhabituel.

— Arty, l'incroyable Arturo, m'a montré quelques trucs et j'ai été accroché.

— Tu le connais depuis combien de temps ?

— Sept ans, répondit Josh, hésitant, en prenant une gorgée de cola. Nous nous sommes rencontrés à l'Hôpital général de Valley où il se produisait en spectacle dans le pavillon des enfants.

— Que faisais-tu là ? Étais-tu malade ?

— Pas moi, mais mon frère aîné, confessa Josh d'un ton sérieux.

— De quoi souffrait-il ?

— Il a eu un accident de voiture et est resté dans le coma pendant cinq mois.

— Je suis désolée. Comment se porte-t-il maintenant ?

— Il ne s'en est pas sorti.

Josh parlait calmement, mais je sentais la douleur qui l'envahissait et je regrettais d'avoir posé la question.

— C'était il y a longtemps, ajouta-t-il rapidement. Arty a remarqué que j'errais dans les couloirs de l'hôpital et, d'une chose à l'autre, je suis maintenant devenu le magicien qui se produit pour les enfants malades.

— C'est merveilleux de ta part.

— Ce sont les enfants qui sont merveilleux. C'est vraiment formidable de pouvoir les épater. Attends de voir mon plus récent tour de passe-passe. Tu ne devineras jamais l'astuce.

— Je n'essaierais même pas. Je préfère être mystifiée.

— Alors, tu dois venir me voir la prochaine fois que je ferai un spectacle à l'hôpital. Viendras-tu ?

— J'adorerais ça.

J'adorais aussi contempler le visage de Josh, ses douces lèvres, son nez droit et ses longs cils foncés. Ce garçon était tellement parfait. De plus, il m'aimait. Incroyable !

Penny-Love vint à la maison ce soir-là, une journée avant LE rendez-vous, et fouilla dans mon placard à la recherche de la tenue vestimentaire idéale. Malheureusement, aucun de mes vêtements ne convenait. Je m'effondrai en larmes et décidai d'avouer à ma grand-mère la raison pour laquelle j'avais besoin de nouveaux vêtements. Elle eut un million de questions à poser sur Josh et fut impressionnée lorsque je lui parlai de son travail bénévole. Nona, une inconditionnelle de l'amour, m'offrit ses encouragements — et sa carte de crédit — avant de me dire de m'amuser en faisant mes emplettes.

Nous nous dirigeâmes vers le centre commercial Arden Fair à Sacramento, à environ soixante kilomètres de chez moi. Penny-Love avait emprunté la voiture familiale de l'un de ses frères aînés ; Nick, Jeff ou Dan. Elle avait une si une grande famille, tous des rouquins avec des taches de rousseur. Alors, qui pouvait distinguer l'un de l'autre ?

La tenue parfaite fut une jupe vert foncé assortie à un haut jaune en lycra. Je me laissai convaincre par Penny-Love de choisir l'un de ces soutiens-gorge à coussinets qui me fit rougir lorsque je me regardai dans la glace. Pour la première fois de ma vie, j'avais des courbes là où il en fallait.

* * *

Lorsque vendredi soir arriva, je regardai Josh s'avancer vers ma porte d'entrée en retenant mon souffle. Je n'avais pas besoin d'être voyante pour savoir que ma tenue faisait des merveilles. C'était mon heure de gloire et rien ne pouvait la gâcher. Même pas Dominic, qui se tenait debout dans l'ombre du porche en fronçant les sourcils alors que Josh m'ouvrait la portière de sa voiture. C'était quoi, son problème ? Il m'avait à peine dit deux mots depuis que nous nous étions rencontrés ; pourtant, j'avais la sensation étrange qu'il désapprouvait mon rendez-vous.

— Tu es sensationnelle, s'exclama Josh, alors que nous étions en route pour aller chercher ses amis.

Mes joues étaient rouges de gêne.

— Heu... merci.

— Je suis heureux que ça ne te dérange pas de sortir avec Evan et Danielle.

— Ça sera amusant, répondis-je en souriant.

Josh me sourit à son tour.

Je sentais que je lui plaisais ; cependant, en y réfléchissant, je n'en étais pas certaine et je me demandais comment un si merveilleux garçon avait bien pu me remarquer. Bien sûr, je lui avais porté secours ; toutefois, la gratitude ne constituait pas nécessairement une bonne base pour une nouvelle relation. Nous nous entendions bien jusqu'à maintenant, mais la situation allait-elle changer s'il découvrait la vérité à mon propos ?

Il y eut un long et pénible silence, et j'essayai de trouver quelque chose d'intéressant à raconter. Je devais être prudente afin de ne pas trop en révéler à mon sujet. Par contre, je ne voulais pas embêter Josh avec des sujets aussi ennuyants que le temps qu'il faisait et les devoirs à rendre.

Je me souvins alors d'un conseil que Nona avait donné à l'une de ses clientes : « Si vous ne savez pas quoi dire à propos de vous, questionnez votre petit ami à son sujet. »

— Alors, Josh, dis-je, parle-moi de toi.

— Que veux-tu savoir ?

— N'importe quoi, lançai-je en haussant les épaules. Par exemple, as-tu un animal de compagnie ?

— Oui, j'ai un chien nommé Reginald.

— L'appelles-tu par le diminutif Reggie ?

— Il n'y a rien de petit chez mon énorme chien. Nous l'avons surnommé « le cheval ».

Je ris de bon cœur à cette précision.

— À quoi ressemble ta famille ?

— Elle est formidable. Maman est agente immobilière et papa occupe un emploi de gestion chez EDH Compu-Tech. Ils sont toujours occupés. Alors, nous avons une gouvernante fantastique qui cuisine la meilleure lasagne du monde.

— Hum, mon plat favori, dis-je en faisant promener ma langue sur les lèvres. J'avais l'habitude d'en faire pour mes petites sœurs.

— Quel âge ont-elles ?

— Neuf ans.

— Les deux ? demanda Josh.

— Amy et Ashley sont jumelles, lui expliquai-je.

Soupçonnant que ce sujet l'amènerait à penser à son frère, je déviai la conversation et lui posai des questions à propos du couple qui se joindrait bientôt à nous.

— Evan et moi sommes amis presque depuis l'enfance, me confia Josh, qui ralentissait afin d'immobiliser la voiture à un arrêt. Il est plus âgé que moi d'un an et il est un athlète fantastique : football, lutte, baseball… Peu importe le sport dont on parle, il est assez bon pour devenir professionnel. En ce qui concerne Danielle, ce que je connais d'elle, c'est ce que m'en a dit Evan : elle est intelligente et jolie. Evan sort avec beaucoup de filles ; alors, c'est difficile de se tenir à jour.

— Sors-tu aussi avec beaucoup de filles ? demandai-je.

Aussitôt les mots sortis de ma bouche, j'aurais voulu les rattraper.

— Presque jamais, répondit Josh d'une voix ferme. Evan m'a organisé quelques rendez-vous, mais ça n'a jamais marché. Il dit

que je suis trop difficile. Moi, je veux seulement être avec quelqu'un que je respecte.

Il retira sa main droite du volant et la posa
à quelques centimètres de mon bras. Je
pouvais sentir son énergie sans même lui
toucher, et ça m'étourdissait quelque peu,
mais d'une façon agréable.

Puis, nous ralentîmes et nous station-
nâmes devant une maison de style ranch.
Deux silhouettes descendirent les marches. Je
reconnus le sourire arrogant d'Evan et ses
larges épaules musclées pour les avoir vus
dans la section sportive de l'*Écho de Sheridan*.
Son bras enlaçait la petite taille d'une fille
mince aux cheveux de jais. Alors qu'il
avançait à grands pas avec confiance, elle
semblait glisser à ses côtés comme une ombre.
Il me semblait connaître cette fille, même si
elle n'était dans aucun de mes cours et que
j'étais certaine de ne l'avoir jamais rencontrée
auparavant. Ce sentiment de la connaître était
très fort et je me retournai pour mieux la voir.

Danielle me lança un sourire nerveux en
prenant place sur le siège arrière avec Evan.
Elle avait une sorte de beauté exotique — une
douce peau olivâtre, un nez qui était un peu
trop long et des pommettes saillantes. Son
haut bleu marin transparent sans bretelles

mettait en valeur ses courbes généreuses, qui n'avaient besoin d'aucune aide supplémentaire. Je ressentis une pointe d'envie, car j'aurais souhaité avoir la même facilité qu'elle à paraître jolie.

Je remarquai alors un tatouage foncé sur le poignet de la fille.

Le fin contour d'un insecte ailé.

Un tatouage en forme de libellule.

5

UNE BOULE DE PEUR S'ÉTAIT FORMÉE DANS MA gorge ; j'avalai ma salive. Frissonnante, je ne pouvais détacher les yeux du tatouage en forme de libellule qui ornait le bras de Danielle. Les ailes de l'insecte s'agitaient doucement et ma tête tournait. Il y eut un bruit de martèlement, un cœur qui battait —

celui de Danielle. J'eus l'horrible vision que le cœur sortait de la poitrine de la jeune fille et qu'il s'envolait, suspendu à des ailes. Ces dernières battaient à toute vitesse dans des directions opposées, jusqu'à ce que le cœur se sépare en deux.

— Sabine, ça ne va pas ? entendis-je quelqu'un me demander.

— Hein ?

Je secouai la tête pour chasser les étranges images qui m'envahissaient et tentai de conserver ma raison. Le vertige passa et j'eus conscience que Britney Spears chantait à la radio et que le moteur de la voiture vrombissait. Josh et Evan discutaient de football. Danielle, quant à elle, se penchait vers moi, l'air confus.

— Pourquoi me fixais-tu ainsi ? me demanda-t-elle, d'une voix douce comme celle d'une fillette. Mes cheveux sont-ils décoiffés ou y a-t-il autre chose ?

— Tes cheveux sont parfaits.

— Pas trop frisottés ?

— Tu es fantastique. Je… j'admirais simplement ton tatouage.

— Ah, ça, dit-elle en paraissant soulagée.

— Une libellule, dis-je.

Je marquai une pause.

— C'est vraiment… vraiment unique.

— Merci ! s'exclama Danielle. Ma grand-mère était une artiste ; j'ai fait reproduire le tatouage à partir de l'un de ses vieux carnets de croquis. Elle n'est plus là maintenant, mais c'est comme si une partie d'elle était toujours avec moi.

Elle lança un coup d'œil vers Evan, qui s'était appuyé au dossier et qui la regardait en souriant.

— Mon prochain tatouage sera pour Evan. Nous pourrions même nous faire tatouer des cœurs assortis.

— Des cœurs ? répétai-je en me crispant légèrement.

— Ou peut-être nos initiales.

— Aussi longtemps que tu ne me demanderas pas de me faire percer le nez ou les lèvres, ça me convient, dit Evan. Je ne veux pas avoir l'air grotesque. D'ailleurs, je connais une meilleure façon de te montrer ce que je ressens.

Je me sentis tout à coup embarrassée. J'avais l'impression d'être une voyeuse et tournai les yeux pour regarder droit devant. Avoir consenti à sortir à quatre me semblait soudain avoir été une très mauvaise idée. Je n'arrivais pas à chasser mon sentiment de peur. Comment pouvais-je prévenir Danielle d'un danger probable sans lui révéler mon don ? Pourquoi les visions ne venaient-elles pas avec un livre d'instructions ? Si je disais à Danielle que j'étais une voyante, elle me prendrait pour une folle. Pis encore, elle pourrait en parler à Josh, qui me laisserait tomber plus vite qu'une vieille chaussette.

Par contre, lorsque j'ignorais mes visions, il se passait des choses terribles. Je savais, pour avoir vécu d'affreuses expériences, à quel point mes visions pouvaient être réelles.

« Qu'est-ce que je vais faire ? me demandai-je avec désespoir. Comment puis-je aider Danielle sans que ça me cause des ennuis ? » Bien sûr, il n'y avait pas de réponse à ça. Quand il s'agissait de prédire mon propre avenir, l'écran était toujours vide.

Je jetai un coup d'œil à Josh et le surpris à m'observer.

— Ça va ? murmura-t-il.

— Comme jamais, mentis-je, en ignorant les bruits provenant des embrassades qui se déroulaient sur la banquette arrière. Quel film allons-nous voir ?

— Evan a envie du dernier film de Will Smith, mais si tu préfères voir autre chose…

— Non, ça me va.

— Parfait ! J'ai dit à Evan que nous devrions te consulter avant de décider, mais il a soutenu que tout le monde aime ce film et il en connaît plus que moi sur le sujet. La prochaine fois, c'est toi qui décideras du film.

La prochaine fois. Je n'avais jamais entendu de plus beaux mots. Je pris le parti d'oublier les folles visions et de profiter de ces beaux moments avec Josh.

À notre arrivée au complexe cinématographique de Lodi, Evan voulut s'asseoir au fond ; alors, nous nous dirigeâmes vers l'arrière de la salle. Le garçon souhaitant occuper un siège côté allée, Josh et moi nous sommes dirigés deux sièges plus loin. Je commençais à voir une tendance dans le comportement d'Evan ; les choses devaient toujours se faire à sa façon. Josh était tellement plus facile à vivre ; rien ne semblait l'embêter. Danielle, quant à elle, était folle d'Evan et collait à lui comme un pansement. Elle semblait prendre leur relation beaucoup plus au sérieux qu'Evan ne le faisait.

Avertis-la, dit la voix d'Opal qui surgit dans ma tête.

« Laisse-moi tranquille », pensai-je.

Tu dois l'arrêter avant qu'il ne soit trop tard.

— Laisse-moi !

Je me rendis compte que j'avais parlé tout haut lorsque Josh déposa le soda qu'il sirotait pour me regarder avec étonnement.

— Tu veux que je parte ?

— Non. Pas toi. Je veux dire…

J'hésitai, sachant qu'Evan et Danielle me regardaient de travers, eux aussi. Le film n'était pas commencé ; alors, je me redressai.

— Je… je veux dire, tu dois me laisser aller aux toilettes.

— Je t'accompagne, dit Danielle en se levant.

— Les filles ne peuvent-elles jamais se rendre quelque part toutes seules ? blagua Evan. Josh, tu as remarqué comme elles se déplacent toujours en groupe, que ce soit à l'école, au centre commercial ou aux toilettes.

— C'est pour pouvoir parler de vous, ne puis-je m'empêcher de répliquer.

— Parlez autant que vous voudrez, répliqua Evan. En autant que vous disiez de bonnes choses...

— Juste les plus belles, ajouta Danielle en se penchant pour embrasser son copain. Je me dépêche de revenir.

— Tu es mieux, sinon je mange ta moitié de maïs soufflé.

Evan en attrapa une poignée et la fourra dans sa bouche.

Je me détournai rapidement. Ce garçon-là était à prendre avec des pincettes.

— Ça fait longtemps que, toi et Evan, vous vous fréquentez ? demandai-je à Danielle en entrant dans les toilettes.

— Trois semaines, deux jours et six heures, répondit-elle.

Elle déposa son sac à main sur le comptoir sous la glace et en sortit son rouge à lèvres, son mascara et une brosse.

— Mais j'ai l'impression que ça dure depuis toujours, poursuivit-elle. Je n'aurais jamais pensé qu'un gars si branché me remarquerait. Je suis habituellement trop occupée à étudier et je n'ai pas beaucoup d'amis. À présent, tout ce que je veux, c'est passer mon temps avec Evan. C'est la même chose pour toi avec Josh ?

Je sentis mes joues devenir rouges.

— C'est notre premier rendez-vous. Je le connais à peine.

— C'est tout de même évident qu'il te plaît, répliqua Danielle.

— Ben… ouais.

— Il t'aime vraiment, mais vraiment beaucoup. Evan dit que Josh est très difficile dans le choix d'une copine et qu'il n'est pas sorti avec une fille depuis l'été dernier. Je sens que vous deux, ça va cliquer.

— Fais-tu confiance à tes impressions ? demandai-je avec prudence.

— Je pense que oui, répondit Danielle en haussant les épaules.

Nous nous tenions devant la glace et, autour de sa beauté éclatante, je tentais de percevoir son aura. Des traces de vert et d'orange tourbillonnaient dans un gris opaque. Qu'est-ce que cela pouvait bien signifier ? Opal excellait lorsqu'il s'agissait de me dire quoi faire ; par contre, elle était nulle pour me donner des explications.

Mon regard se fixa sur le tatouage de Danielle.

— Danielle, as-tu des problèmes ? lui demandai-je malgré moi.

— Des problèmes ? fit-elle en reposant sa brosse et en me regardant avec de grands yeux. Pourquoi demandes-tu ça ? J'ai Evan et tout est merveilleux dans ma vie.

— Ouais, mais… Vois-tu, j'ai… j'ai fait un rêve et tu en faisais partie.

— Vraiment ? questionna Danielle en esquissant un sourire quelque peu nerveux. Evan était-il avec moi ?

— Je ne te parle pas de lui, mais de toi.

J'hésitai, éprouvant un sentiment d'angoisse familier, le même que j'avais ressenti juste avant d'être renvoyée de mon ancienne école. À cette époque, j'avais vu le visage d'une vedette de football de l'école brûlé jusqu'à l'état de squelette et entendu des bruits d'accident de voiture. Quand j'avais averti le joueur de ne pas conduire après le bal de fin d'études, il avait répandu la rumeur que j'étais dingue. Tout le monde s'était moqué de moi. Par contre, le jour où il trouva la mort à la suite d'une collision frontale avec un camion après avoir trop bu pendant le bal de fin d'études, plus personne n'avait ri. Tout le monde avait eu peur… de moi.

— Raconte-moi ton rêve pendant que je me recoiffe, dit Danielle. Mais dépêche-toi. Evan devient irascible lorsque je le fais attendre.

— Les rêves n'ont pas d'importance. Je n'aurais pas dû t'en parler.

— C'est tout de même une coïncidence étonnante que tu aies rêvé à moi avant même que l'on fasse connaissance.

— Rien d'étonnant à ça. Je t'ai probablement déjà entrevue à l'école. De plus, je savais que je te rencontrerais ce soir.

— Ouais, ça doit être ça. On ferait mieux de se dépêcher, sinon il ne restera plus de maïs soufflé.

Je jetai un œil à l'image que me renvoyait la glace ; je n'étais pas certaine d'aimer ce que j'y voyais, puis me détournai rapidement et suivis Danielle.

Le film devait être hilarant parce que le public s'esclaffait, mais il m'était impossible de remarquer quoi que ce soit d'autre que la main de Josh qui tenait la mienne.

Josh reconduisit Danielle et Evan à la maison de ce dernier. Puis, nous fûmes seuls.

Après avoir stationné la voiture devant l'allée de garage de Nona, Josh éteignit le moteur, mais ne fit aucun mouvement pour sortir de la voiture. Nous restâmes plutôt assis en silence dans l'obscurité pendant un moment. Le clair de lune se déplaça entre les arbres du voisinage et éclaira le visage de Josh d'une lumière dorée. Je me surpris à penser que j'aimerais que Josh m'embrasse, en espérant qu'il en avait envie. Je retins mon souffle et détachai ma boucle de ceinture de sécurité, qui glissa de mon épaule en émettant un bruit métallique.

— Sabine… commença Josh en s'éclaircissant la gorge.

— Oui ? répondis-je un peu trop vite.

— J'ai eu beaucoup de plaisir, poursuivit-il en me souriant avant de me tendre la main.

— Moi aussi, affirmai-je en serrant ses doux doigts.

— Je ne veux pas que tu rentres.

— D'accord.

Ma bouche articulait, mais mon cerveau était en vacances. Je fonctionnais au ralenti.

Josh se mit à rire.

— Tes parents n'aimeraient pas ça.

— Mes parents demeurent à San Jose. Je vis ici avec ma grand-mère.

— Vraiment ? Tu dois leur manquer ?

— Je ne crois pas.

— Tant pis pour eux.

Puis, Josh se pencha vers moi, m'attira vers lui et m'embrassa.

6

CE SAMEDI MATIN, JE ME RÉVEILLAI AU SON D'UN coq qui chantait. J'aurais aimé me prélasser au lit encore un peu pour penser à Josh et revivre son baiser, mais je devais faire des corvées. Je revêtis donc mes vêtements les plus dégoûtants et je partis à la recherche de trésors.

Inspirant l'air frais, je suivis un sentier à travers l'herbe couverte de rosée. La vache de Nona, Daphnée, meugla dans le pâturage et un merle lui répondit de son chant joyeux. Même si je vivais avec Nona depuis plus de quatre mois, j'eus un de ces chocs culturels qui me fit m'exclamer « Oh mon Dieu ! je ne peux pas croire que je sois ici. » En venant demeurer chez Nona, je m'attendais à entendre des voisins s'obstiner ou le son de klaxons de voitures circulant à vive allure, mais il n'y avait rien de cela à la ferme de grand-mère. Le seul son ressemblant au bruit d'un klaxon était émis par les troupeaux d'oies. Il n'y avait pas de petites sœurs bruyantes pour m'énerver en cognant sur leurs nombreux instruments de musique pour étaler leur talent. De plus, je n'avais pas à supporter les regards réprobateurs de mes camarades de classe, de mes professeurs ou de ma propre mère. Vivre avec Nona constituait pour moi un nouveau départ.

J'entrai dans le poulailler et me frayai un passage à travers la poussière, les plumes et les excréments. Les premiers huit œufs furent faciles à trouver ; ils reposaient sur le sol. Un, deux, et trois autres étaient dissimulés dans un nid de foin. Par contre, certaines poules cachaient leurs œufs avec soin et il s'écoula au moins dix minutes avant que je remarque un œuf moucheté de vert camouflé dans un coin sombre du poulailler. Rampant à quatre pattes, je tendis la main vers l'œuf encore chaud. Un petit coup de poignet et mon cadeau roula vers moi.

— Une douzaine exactement, murmurai-je triomphalement en l'ajoutant dans mon panier.

— Pourquoi pas treize à la douzaine ?

Dominic se tenait à l'extérieur du pou-lailler, les bras croisés sur la poitrine. Son faucon n'était pas dans les alentours ; il volait probablement au-dessus de la forêt à la recherche de son petit-déjeuner.

— Tu en as manqué un, dit Dominic d'un ton moqueur.

— Ah, ouais ?

— Regarde sous le buisson.

Il pointa vers un buisson de baies dont les vignes épineuses et entremêlées s'enroulaient autour de la clôture.

— Oublie ça, lui dis-je en secouant la tête. C'est trop piquant, même pour les poules.

— Ne sous-estime jamais un animal. De plus, c'est un gros œuf.

— Comment le sais-tu ? C'est impossible que tu puisses voir une chose aussi petite qu'un œuf à travers toutes ces vignes.

— Un petit oiseau me l'a dit.

— Ouais. Bien sûr.

Je levai les yeux au ciel, mais je ne pus résister au défi. Avec précaution, j'écartai les vignes et regardai dans les buissons.

— Il n'y a rien là.

— L'œuf est plus à gauche. Ouais, tu devrais y toucher à présent.

Au moment où Dominic dit « à présent », ma main se referma sur un œuf très doux.

Plutôt que d'avoir de la gratitude pour le garçon, j'aurais voulu effacer son sourire satisfait d'une gifle au visage. Toutefois, lorsque je levai les yeux vers lui, prête à le traiter de tous les noms, je vis une femme planer à ses côtés.

Elle était à la fois rayon de soleil et brouillard. Elle avait des cheveux foncés courts qui frisaient au-dessus de sa nuque et des rides de rire ornaient le coin de ses yeux noirs. Je savais, sans qu'on me l'ait dit, que Dominic avait appelé cette femme « maman ».

— Qu'est-ce que tu regardes ainsi ? s'écria-t-il sèchement.

— Ne vois-tu pas ? murmurai-je en frémissant.

— Voir quoi ?

— Elle.

La dame s'approcha du garçon et l'enveloppa d'un amour aussi doux que le souffle d'une brise d'été.

— Il n'y a personne d'autre que nous ici, expliqua Dominic en fronçant les sourcils et en examinant les alentours, perplexe.

Je secouai la tête, réalisant un peu tard que j'étais la seule personne assez bizarre pour voir des fantômes, ce qui ne s'était pas produit avec tant de clarté depuis que j'avais emménagé avec Nona. Les ombres de la nuit et les voix s'étaient calmées, mais j'aurais dû savoir que ça ne durerait pas. J'étais maudite, une messagère involontaire des esprits. Une fois encore, le monde de l'au-delà se mêlait au mien.

J'entendis la femme dire « Mon Nicky chéri. »

— Qui est Nicky ? demandai-je.

Dominic resta bouche bée.

— Personne ne m'a appelé comme ça depuis mon enfance. Depuis que ma mère…

— …est morte, terminai-je.

J'ai quitté mon fils trop tôt. Je n'ai pas pu l'aider quand il a eu besoin de moi, continua la femme en ouvrant les bras largement en signe de désespoir.

Je ressentais ses émotions : amour, perte et nostalgie. *Dis-lui « Un* nickel *pour tes pensées ».*

— Un *nickel* pour tes pensées ? répétai-je dans la confusion. L'adage ne dit pas plutôt « Un sou pour tes pensées » ?

Le visage livide, Dominic s'élança vers l'avant et me saisit les bras.

— À quoi joues-tu ? hurla-t-il.

— À rien, répondis-je en luttant pour me débarrasser de lui, et ne pose plus jamais la main sur moi.

Ses épaules s'affaissèrent.

— Désolé. Mais ma mère disait toujours « Un *nickel* » à cause de mon nom. Personne d'autre n'était au courant de ça. Comment le sais-tu ?

Submergée par les émotions, je remuais la tête lorsque je vis une larme couler sur le visage flou de la mère. La dame leva le bras et montra une pièce argentée qui brillait dans la paume de sa main. Une pièce de cinq cents. Elle tendit ses doigts gazeux et déposa la pièce dans la poche de Dominic. Son corps commença à s'estomper jusqu'à ce qu'il ne reste que ses yeux bleu pâle. Puis ces derniers s'élevèrent aussi haut que les étoiles, se fondant dans le bleu du ciel.

La femme était disparue.

Dominic me regarda avec incrédulité.

— Que vois-tu ?

— Rien, répondis-je avec sincérité.

— Alors, pourquoi as-tu dit ces choses ? Quelqu'un t'a-t-il déjà parlé de ma mère ?

— Non. Je ne sais rien à son sujet.

Je serrai le panier d'œufs contre ma poitrine et baissai les yeux.

— Je… je dois partir.

Dominic me barra la route.

— Pas avant que tu m'expliques ce qui s'est passé.

— Je ne peux pas. Je ne peux jamais.

Puis, tenant fermement mon panier sur mon cœur battant, je repoussai le garçon.

La porte de la maison claqua derrière moi lorsque j'entrai dans la cuisine. Je déposai le panier sur le comptoir de céramique et me penchai pour reprendre mon souffle. *Qu'est-ce qui venait de se passer ? Pourquoi la mère de Dominic m'était-elle apparue ? M'avait-elle utilisée pour rendre visite à son fils une dernière fois ? Ou était-elle venue m'avertir d'un danger ?*

Je frissonnai, me rappelant la fatale nuit du bal de fin d'études. J'avais su que le garçon allait mourir et pourtant je n'avais rien pu faire pour le sauver.

En plaçant les œufs dans un contenant en carton, je me demandai si je devais aller trouver Nona et tout lui raconter. Ma grand-mère saurait comment m'aider. Elle m'avait souvent dit que nous descendions d'une longue lignée de voyantes. Le « don » de famille avait sauté une génération avec ma mère, mais Nona était sûre que j'en avais hérité, que la mèche noire dans mes cheveux blonds indiquait que j'étais une devineresse. Elle m'avait offert de développer mes capacités, mais je ne voulais pas être différente des autres jeunes. Je désirais être une personne ordinaire qui ne voyait pas de fantômes et qui ne connaissait pas les choses avant qu'elles n'arrivent. De plus, je ne pouvais dire avec certitude si je prédisais les tragédies ou si je les provoquais.

Alors, j'ai menti à Nona pendant un bon bout de temps, en lui répétant sans cesse que j'avais perdu mon « don » en grandissant. Il fut difficile de la convaincre, mais elle avait fini par me croire. Si je lui disais la vérité maintenant, elle ne me ferait plus jamais confiance et elle serait profondément blessée.

C'était une idée que je ne pouvais supporter.

Dans un murmure, je suppliai donc ma guide spirituelle de faire disparaître toutes les bizarreries qui meublaient mes pensées. Puis, j'apportai le téléphone sans fil dans ma chambre et fermai la porte.

Je voulais parler à Josh, mais je savais qu'il était occupé avec sa famille durant ce week-end. Je fis plutôt mes appels hebdomadaires à la maison, ce qui me parut merveilleusement normal. J'eus une courte discussion avec papa, que l'on pouvait joindre au bureau même le samedi. J'appelai ensuite mes sœurs. Ashley étant sortie avec des amis, je m'entretins avec Amy. Celle-ci possédait une collection de livres anciens pour filles et elle me décrivit toute l'intrigue de sa dernière acquisition, une édition avec jaquette du « Mystère de l'île inondée ». Alors qu'elle m'expliquait que l'auteur avait également écrit quelques-uns des premiers Nancy Drew, j'entendis ma mère parler. Toutefois, je ne demandai pas à m'entretenir avec elle et elle fit de même. Il n'y avait rien à dire.

Je venais à peine de raccrocher quand Penny-Love me téléphona ; elle voulait tout savoir à propos de mon rendez-vous avec Josh. J'étais ravie de lui raconter. J'étais en train de lui décrire LE baiser dans tous les délicieux détails lorsque Penny-Love entendit le bip indiquant un appel en attente et elle me demanda de patienter. Après quelques secondes, elle était de retour. Elle s'excusa de ne pouvoir me parler plus longtemps car elle devait se rendre à une séance d'entraînement des meneuses de claque.

— On se parle plus tard, promit-elle.

— Ce ne sera pas avant lundi, me plaignis-je. Tu es toujours si occupée.

— Alors, viens avec moi à la réunion du club des pom-pom girls qui se tiendra demain soir chez Jill.

— Mais je ne suis pas une pom-pom girl !

— Depuis quand cela a-t-il de l'importance ? Tu fais pratiquement partie de la troupe, comme une mascotte.

— J'ai vu les costumes de la mascotte et il n'y a aucune chance que je m'habille en requin.

— Tu marques un point, gloussa Penny-Love. Ils sont vraiment médiocres, ces habits. Tant mieux pour toi, aucun costume n'est requis pour se joindre à nous. Et tu as tellement de talents artistiques que le groupe sera enchanté d'avoir ton aide. Dis-moi que tu viendras.

— O.K., O.K., répondis-je en riant. Je viendrai.

Après avoir raccroché, j'allai à la cuisine pour prendre une collation. J'avais sauté le petit-déjeuner et il était passé l'heure du repas du midi. Un sandwich CLT — cornichon, laitue, tomate — semblait me convenir. Ou peut-être une chaudrée de palourdes ?

Alors que je tentais de me décider, j'aperçus la boîte d'œufs qui traînait sur le comptoir, là où je l'avais laissée. J'avais oublié de la ranger au réfrigérateur. Au moment où je la saisissais, j'entendis un bruit venant d'une pièce arrière de la maison, celui d'un objet qui tombe au sol.

Inquiète au sujet de Nona, je déposai les œufs et quittai la cuisine à la course. Quand j'entrai dans le cabinet de travail de ma grand-mère, je découvris cette dernière en train de fouiller dans son placard, les fesses pointant vers le ciel.

— Nona, est-ce que ça va ? demandai-je en arrivant à ses côtés.

— Oui. Tout cela est tellement frustrant !

Ma grand-mère jeta une boîte sur le plancher à côté de moi et jura entre ses dents.

— Quoi ? lui demanda-je.

— Je ne trouve pas mon cahier de notes, celui dans lequel j'ai écrit le mot de passe de mon ordinateur.

Nona feuilleta un dossier, puis elle l'envoya valser, lui aussi.

— Ne le connais-tu pas par cœur ? lui demandai-je.

— C'était vrai jusqu'à hier, mais j'ai mis mon ordinateur à jour durant la journée et changé le mot de passe. J'ai ensuite inscrit le fameux mot dans mon cahier de notes bleu, au cas où je ne m'en souviendrais plus.

— Et tu l'as oublié ?

— Je pensais que c'était « cupidon », mais il s'agissait d'un ancien mot de passe. Alors, j'ai essayé « sonnet », « valentin » et « chérie ». Aucun n'a fonctionné ! Où ai-je mis mon cahier de notes ?

Nona s'effondra de lassitude dans la chaise pivotante de son bureau.

— J'ai même consulté mes cristaux et le tarot, mais ça n'a rien donné.

— Tu n'as pas besoin de l'Au-delà, Nona, je suis là pour toi.

— Merci, ma chérie. Tous les renseignements sur mes clients sont dans cet ordinateur. Je suis ruinée si je ne peux pas accéder à ces fichiers. Je sais que j'ai rangé le cahier de notes dans un endroit sécuritaire et sombre, là où je ne pouvais le perdre, mais c'est pourtant ce qui est arrivé.

Je tapotai le bras de grand-mère pour la rassurer.

— Nous le retrouverons.

Toutefois, après avoir regardé dans chacun des dossiers et tiroirs, sur chacune des tablettes, et vérifié chaque bout de papier, nous ne l'avions pas trouvé.

J'étais sur le point d'aller à l'encontre de tout ce en quoi je croyais — ou ce en quoi je ne voulais pas croire — et demander l'aide d'Opal. Or, avant que j'en aie le temps, Nona suggéra de suspendre la recherche et d'aller manger. Lorsque nous entrâmes dans la cuisine, je repérai la boîte d'œufs encore sur le comptoir, là où je l'avais abandonnée.

— Tu n'es pas la seule à oublier des choses, dis-je à ma grand-mère en esquissant un sourire moqueur. Je ferais mieux de ranger les œufs.

J'ouvris la porte du réfrigérateur, j'en fixai le contenu et, surprise, j'éclatai de rire.

— Qu'est-ce qu'il y a ? demanda Nona.

— Regarde !

Je pointai l'intérieur du réfrigérateur. Un cahier bleu à spirales était appuyé entre un pot de confiture aux bleuets et une bouteille de ketchup.

Je venais de retrouver le cahier de notes de Nona.

7

Remuez-vous, remuez-vous, secouez-vous et dansez.

La victoire, la victoire, la victoire ! Rien de moins.

Penny-Love et Jill sautèrent très haut en secouant leurs pompons, puis retombèrent en faisant un parfait grand écart.

— C'était épatant ! m'exclamai-je en ap-
plaudissant depuis le plancher du garage où
j'étais agenouillée pour peindre sur une
affiche un gros « H » dans les tons de rouge,
blanc et bleu. L'ajout d'un thème patriotique
était mon idée, et j'étais contente que les
autres aient approuvé ma suggestion.

La maison de Jill était située dans un
secteur près de l'école, à deux kilomètres
environ de la fermette de Nona. Comme nous
connaissions un mois d'octobre doux, j'avais
marché plutôt que de prendre la voiture.

J'éprouvais du plaisir à être avec des filles
si énergiques et tenaces. Contrairement à ce
que je pensais avant de les connaître, les pom-
pom girls n'étaient pas des étourdies ; elles
étaient plutôt des athlètes sérieuses et
dévouées. J'admirais ces filles, même si je
n'avais aucune envie de secouer des pompons
ou de faire le grand écart devant les foules.
L'observation en coulisse me convenait parfaitement.

Quatre membres de l'Équipe d'encouragement de Sheridan étaient présentes : Penny-
Love, Jill, Catelynn et Kaitlyn. Elles étaient
toutes vêtues de survêtements et de
t-shirts, sauf Penny-Love qui ne s'habillait
jamais de manière décontractée, pas même

lorsqu'elle planifiait de peinturer. Elle avait torsadé ses cheveux roux flamboyants en deux tresses françaises identiques et elle portait un haut court violet en tissu élastique qui laissait voir le diamant qui ornait son nombril percé.

— Tu es un public fantastique, Sabine, décréta Jill en me décochant un sourire d'un blanc éclatant.

Elle était capitaine de l'équipe et un génie dans la création de nouvelles routines.

— Ça demande encore un peu de travail, mais nous pourrons pratiquer plus tard. Il est plus important de terminer les affiches.

— Celle-ci est presque finie, dis-je alors que je trempais mon pinceau dans la peinture rouge et que je remplissais l'intérieur de la lettre « H ».

— J'ai étalé plus de peinture sur moi que sur l'affiche, se plaignit Catelynn en levant une longue mèche de cheveux bruns tachés de bleu. J'ai l'air d'une souillon.

— C'est bien vrai, approuva sa meilleure amie Kaitlyn pour la taquiner.

Même si Catelynn et Kaitlyn partageaient le même prénom, elles avaient deux caractères opposés. La perfectionniste Catelynn était souvent critique, alors que Kaitlyn possédait un sens de l'humour complètement fou.

— Nous sommes toutes sales, mais ça partira au lavage, renchérit Jill.

— Mais Catelynn est la pire, fit remarquer Kaitlyn. C'est comme si un arc-en-ciel avait explosé sur elle.

Jill rigola.

— Vrai. Catelynn, tu as même de la peinture dans les oreilles.

— Quelqu'un a un appareil photo ? s'enquit Penny-Love. Ça ferait une merveilleuse photo pour la première page de l'*Écho de Sheridan*.

— Sinon, je pourrais passer un coup de fil à Manny, les informai-je. Parmi ses nombreuses fonctions, il occupe aussi celle de photographe officiel.

— Ne t'avise pas de faire ça, protesta Catelynn, sinon je répands de la peinture sur tout ton corps.

— O.K., O.K., capitula Kaitlyn en ricanant. Faisons une trêve.

— Je faisais juste des blagues, avouai-je. Je n'aurais pas appelé Manny.

— Quel dommage, dit Jill, en soupirant. Le-si-beau Manny est bienvenu ici n'importe quand.

— Je raffole tout simplement de sa chronique, déclara Kaitlyn. Il a fait un merveilleux travail en écrivant l'article « Dix ans dans le futur ». J'adorerais qu'il écrive à propos de mon avenir.

Je souris, car j'étais à présent habituée à ce genre de commentaire. Manny ne se souciait pas de ce que les autres pensaient de lui. Il agissait et s'habillait comme bon lui semblait et, plutôt que d'être exclus, il était respecté.

— J'ai choisi ces boucles d'oreilles parce que le mystique Manny a dit que le vert était la couleur chanceuse cette semaine ! s'exclama Jill en pointant ses boucles d'oreilles en jade.

— Ça ne me dérangerait pas de gagner ses faveurs, fit remarquer Kaitlyn en rigolant.

— Selon moi, il est trop imbu de lui-même, lança Penny-Love en s'essuyant le nez, mais tout en y laissant une trace de peinture verte. C'est Sabine la chanceuse. Elle a le gars le plus sympa de l'école à ses pieds. Devinez avec qui elle est sortie vendredi soir ?

— Josh DeMarco, répondit Jill en roulant des yeux. Tu nous l'as déjà dit, Pen. Et ils sont sortis à quatre avec Evan et sa dernière conquête.

— Elle s'appelle Danielle, annonçai-je avec un soupçon d'angoisse.

— Je ne connais pas cette fille, avoua Catelynn en haussant les épaules avec indifférence. De toute façon, de la manière dont Evan saute de l'une à l'autre, elle ne fera pas long feu.

— J'espère que tu as tort, rétorquai-je.

Mon sentiment d'anxiété augmentait et il me picotait comme des aiguilles.

— Danielle est vraiment gentille et très en amour. Je détesterais la voir blessée.

— Ça va arriver, dit Catelynn en essuyant la peinture sur ses mains à l'aide d'un chiffon. Sois réaliste, Sabine. Tu ne fréquentes pas Sheridan High depuis assez longtemps pour en savoir suffisamment à propos d'Evan Mashall mais, nous, nous connaissons sa manière d'opérer. C'est un joueur. On l'appelle « En avant Marsh ».

— C'est épouvantable.

— Au moins, tu n'as rien à craindre avec Josh, assura Penny-Love. Il est comme du bon pain.

— Alors, pourquoi passe-t-il son temps avec un imbécile comme Evan ?

— Parce que leurs parents sont amis depuis toujours et qu'ils sont voisins immédiats, expliqua Penny-Love. Evan écrase les gens comme un rouleau compresseur, mais Josh ne semble pas le remarquer.

— Moi, je l'ai remarqué, dis-je.

Je me rappelais comment Evan avait pris toutes les décisions pendant notre rendez-vous. De plus, il ne m'avait pas paru très amical. C'était comme si je n'avais aucune importance à ses yeux.

— Josh est incapable de voir autre chose que le bon côté des gens, expliqua Penny-Love. Il se porte toujours volontaire pour les levées de fonds et pour participer aux différents comités de l'école. Il est un peu idéaliste : il souhaite améliorer le sort des gens et changer le monde.

— Personne ne peut faire ça, fit remarquer Catelynn, avec un reniflement sceptique.

Je voulais discuter de la question avec elle, mais j'avais peur qu'elle ait raison.

Je ressentis des douleurs à la tête et l'arc-en-ciel que j'étais en train de peindre s'embrouilla. Les étourdissements apparurent et je me recroquevillai de douleur. Le pinceau glissa de mes doigts et la peinture se mit à tourbillonner, à prendre vie ; des cercles se formaient autour de moi et j'entendais des battements d'ailes. Je vis l'image très nette d'une libellule qui sortait de la maison de Jill, descendait la rue, entrait directement dans Sheridan High pour disparaître dans une mare de sang rouge foncé.

Danger.

Vite.

Je sentis les battements de mon cœur s'accélérer et la peur me remplir la gorge comme si j'avalais de la bile.

Je voulais ignorer cette vision mais, même les yeux ouverts, je voyais la libellule en sang voltiger pour me prévenir du danger. Je n'avais aucune idée de ce que j'étais censée faire ; je savais simplement que si je ne faisais rien, quelque chose de terrible allait survenir… à Danielle.

8

C'ÉTAIT DÉMENT DE PARTIR À TOUTE VITESSE SANS même prendre le temps de nettoyer la peinture sur mes mains et d'inventer une excuse si stupide que mes amies auraient pu penser que j'étais folle. Cependant, si cette fois je pouvais aider quelqu'un, peut-être cela compenserait-il les erreurs que j'avais faites dans le passé ? Du moins, je me devais d'essayer.

Des nuages s'étaient amoncelés, obscurcissant un ciel déjà brunâtre, ce qui me fit frissonner. J'avais oublié à quel point la nuit tombait rapidement à cette époque de l'année. Le trottoir déserté n'était éclairé que par de rares lampadaires. Lorsque j'atteignis l'entrée de Sheridan High, j'hésitai, craintive à l'idée de quitter la sécurité que m'offrait la rue. Je le fis tout de même et je commençai à traverser la cour de l'école. Une unique lumière jaune, qui projetait des ombres noires, illuminait l'accès au collège.

Si je m'étais arrêtée pour réfléchir, j'aurais compris toutes les raisons pour lesquelles je ne devrais pas faire ça. J'étais sur une propriété privée. Je n'avais pas de véritables preuves que Danielle était en danger. Et si c'était le cas, comment pourrais-je l'aider ? J'essayai de penser à quelque talent que je pouvais posséder et qui pourrait me venir en aide pour défendre Danielle ou ma propre personne. J'avais bien suivi des leçons d'escrime à mon ancienne école, mais je ne me promenais pas avec un fleuret dans mon sac à dos.

L'image d'une libellule ensanglantée me motivait à poursuivre mon chemin, m'incitait à secouer toutes les portes fermées jusqu'à ce que j'en trouve une qui s'ouvre. À l'extrémité d'une grande salle, je me demandai si je devais continuer tout droit ou prendre un couloir de côté. Une laisse invisible me tira brusquement vers l'avant, me forçant à poursuivre mon chemin. Je dépassai ma classe, la bibliothèque, puis je tournai à gauche pour entrer dans une salle que je n'avais jamais remarquée auparavant.

La noirceur s'installait ; je m'ennuyais de mes veilleuses. Je serrai fortement les dents pour les empêcher de claquer. Au bout de la salle, je vis une minuscule lueur. Était-ce un fantôme ou un reflet dans l'une des fenêtres ? La lumière clignotait sans arrêt, illuminant une silhouette qui tenait une lampe de poche. Ce n'était pas un fantôme, mais une fille. Ses longs cheveux étaient rassemblés sous une casquette, mais je reconnus Danielle. La lumière disparut avec elle à l'intérieur d'une pièce.

Suis-la, entendis-je Opal m'ordonner.

« Facile à dire pour toi », pensai-je.

Elle a besoin d'aide.

« J'aurais besoin d'aide aussi — et de réponses. Par exemple, qu'est-ce que je fais ici ? »

Dépêche-toi fut tout ce qu'ajouta Opal avant que je la sente disparaître.

J'étais trop curieuse pour partir ; alors, je m'enfonçai plus profondément dans un long couloir. En tâtonnant le long du mur, je trouvai une porte. Je vis une étincelle de lumière et épiai l'intérieur de la pièce.

Danielle était dans une pièce de rangement. Elle dirigeait une petite lampe de poche vers un classeur et fouinait dans le tiroir du haut. Elle semblait savoir exactement ce qu'elle cherchait. Par contre, moi, je n'en avais aucune idée et Opal m'avait totalement abandonnée. Pourquoi Danielle furetait-elle ici dans l'obscurité de la nuit ?

Elle continua ses recherches dans le tiroir suivant. Dans la faible clarté, je pus entrevoir une partie de son visage. Ses yeux étaient déterminés. Après quelques minutes, elle grogna de frustration et elle referma le tiroir avec force. Puis, elle tira brusquement un autre tiroir et commença de nouveau à chercher quelque chose.

— Où ? l'entendis-je dire. Où l'a-t-il mis ?

Elle poussa le tiroir, qui se referma en faisait un bruit de métal. Je sursautai et, dans ma nervosité, je jetai un coup d'œil derrière moi. Je ne vis que l'obscurité du couloir, mais je frissonnais et j'avais un sentiment désagréable.

Lorsque je regardai Danielle à nouveau, elle s'était déplacée vers un nouveau classeur et parcourait d'autres dossiers. Elle ouvrit le tiroir du haut et s'immobilisa, comme si elle réfléchissait profondément ou comme si elle écoutait.

Puis, elle pivota à toute vitesse et m'attrapa dans la lueur de sa lampe de poche.

— Oh, mon Dieu ! s'exclama-t-elle. Sabine ?

Je clignai des yeux en raison de la lumière éblouissante.

— Hé, tu m'aveugles !

Danielle avait l'air abasourdie.

— Comment ? Pourquoi ? Que fais-tu ici ?

— Je t'ai vue entrer et j'étais inquiète. J'avais peur que tu sois en danger.

— Le seul danger qui me guette, c'est toi.

— Allons, sortons, ordonnai-je.

Je mis la main devant mes yeux.

— Éteins cette lampe de poche pour qu'on ne se fasse pas prendre, insistai-je. Allons ailleurs pour discuter.

Je ne trouvai rien d'autre à dire.

— Je n'ai rien à te confier, répliqua Danielle en abaissant le faisceau de lumière de sa lampe de poche de quelques centimètres. Va-t-en !

— Pas avant que tu m'aies dit ce que tu fais ici.

— Mêle-toi de tes affaires. Ça ne te regarde pas. Et ne t'avise pas de raconter à qui que ce soit que tu m'as vue ici.

— Je ne dirai rien si tu m'expliques ce qui se passe. Pourquoi es-tu entrée par effraction ?

— Ce n'est pas une effraction quand tu as la clé, répondit Danielle sur un ton défensif.

— Si tu possèdes une clé, pourquoi te caches-tu ?

— Je ne *veux* pas me dissimuler, mais je *dois le faire*. Tu ne comprendrais pas.

— Essaie toujours, demandai-je doucement.

— Je ne peux pas ! dit Danielle en hochant la tête. J'ai promis de ne rien dire. À présent, pars avant que nous soyons toutes les deux en difficulté.

— Trop tard, interrompit une voix bourrue.

Dans l'embrasure de la porte se tenait un homme costaud en uniforme gris avec une lampe de poche à la main ; c'était le concierge, monsieur Watkins.

— Les filles, vous feriez mieux d'avoir une bonne raison d'être ici et de me la donner rapidement avant que j'appelle les policiers, dit-il, en entrant dans la pièce et en allumant la lumière du plafonnier.

— Heu...

J'essayai de penser à quelque chose, mais j'avais l'esprit totalement vide.

— S'il vous plaît, n'appelez pas le service de police, supplia Danielle. Mes parents me tueraient.

— Ce n'est pas mon problème, dit le concierge, indifférent. Tu expliqueras ça aux policiers.

— Non ! Ne les appelez pas !

Danielle se déplaça à mes côtés et m'attrapa la main de ses doigts moites.

— Je ne faisais rien de mal, s'écria-t-elle. Dis-lui, Sabine !

Perplexe, je me tournai vers elle.

— Lui dire quoi ?

— À propos... du jeune que nous avons vu fureter autour et que nous avons poursuivi jusqu'ici.

Danielle me serrait la main très fort, mais je réussis à me libérer de sa prise.

— Un jeune ? dis-je.

Mon cœur battait la chamade.

— Ah, ouais, repris-je. Le jeune.

— Mais, il s'est enfui avant que nous ayons pu le rattraper, poursuivit rapidement Danielle. Je pense qu'il s'agissait d'un vandale. Il aurait pu casser des carreaux ou mettre le feu, mais nous lui avons fait peur. Plutôt que de nous faire des misères, vous devriez nous remercier.

Elle avait l'air pathétique. Malgré tout, je hochai la tête pour entrer dans son jeu.

Le concierge fronça les sourcils.

— Tu penses que je vais croire ce tas de bêtises ! s'exclama-t-il.

— Ce jeune pourrait encore rôder autour, le prévint Danielle, qui s'accrochait à son histoire ridicule. Ne perdez pas votre temps avec nous ; partez plutôt à sa recherche avant qu'il ne s'échappe.

Le concierge se frotta la barbe et plissa les yeux en nous observant.

— Assez. J'appelle le service de police.

— Mais vous ne pouvez pas faire ça ! supplia Danielle en pleurant.

— Regarde-moi faire, dit le concierge avec un petit rire sadique en sortant le téléphone cellulaire de sa poche.

— Sabine, fais quelque chose, me conseilla Danielle en se cramponnant à moi.

— Je voudrais bien en être capable.

La panique faisait battre mon cœur à tout rompre. Si nous étions arrêtées, tout le monde le saurait et de méchantes rumeurs se propageraient. Penny-Love prendrait peut-être ma défense, mais la plupart des autres personnes me rejetteraient. Et Josh, que penserait-il ? Je mourrais s'il m'abandonnait. Or, il n'y avait rien que je puisse faire.

N'abdique pas si facilement, m'ordonna Opal. *Dis-lui que les policiers trouveront le coffre de sa voiture intéressant.*

— Les policiers trouveront le coffre de sa voiture intéressant ? questionnai-je à voix haute, me sentant complètement idiote, mais assez désespérée pour tenter n'importe quoi.

Le concierge cessa de composer et me fixa avec insistance.

— Qu'as-tu dit ?

— Rien. Heu… juste que si les policiers viennent ici, ils regarderont partout.

Je réfléchissais à toute vitesse.

— …incluant le coffre de votre voiture.

— Ma voiture n'a rien à voir dans tout ça, grogna le concierge.

— Des crayons, des agrafeuses, un télé-phone et un écran d'ordinateur.

J'avais répété le message qu'Opal m'avait transmis. Je réalisai ce que cela signifiait et pointai mon doigt vers le concierge.

— Vous avez volé ces choses à l'école ?

— Ferme-la ! cria le concierge en exhi-bant son poing. Tu n'es qu'une sale menteuse. Un mot de plus et tu y goûteras.

Danielle me fixa avec de grands yeux.

— Sabine, cesse de dire des trucs effray-ants. Tu empires la situation.

— Écoute ton amie, me conseilla le con-cierge, c'est dans ton intérêt. Dites un mot aux policiers à mon sujet et vous le paierez cher toutes les deux.

C'est de la frime, m'informa Opal. *Ne le laisse pas te faire peur. Il a de sérieuses difficultés à surmonter dans sa vie. Il supplée à ses insuffi-sances par le vol, allant même jusqu'à dérober de l'argent dans le sac à main de sa mère.*

— Voler sa mère ! m'exclamai-je.

— Qui t'a dit ça ? questionna le con-cierge.

— Vous avez pris de l'argent dans le sac à main de votre propre mère !

— Toi, espèce de petite…

Monsieur Watkins échappa son téléphone cellulaire. Il ne fit aucun geste pour le ramasser ; il leva plutôt son poing vers moi.

— Partez !

— Mais... mais, les policiers ? balbutiai-je inutilement. N'allez-vous pas les appeler ?

— Allez-vous-en, c'est tout !

Je saisis Danielle par la main, puis nous sortîmes de là en courant. Tout ce à quoi je pouvais penser, c'était à m'éloigner le plus possible de ce timbré de concierge. Je courais si vite que Danielle traînait en arrière.

— Dépêche !

J'entendis le bruit de ses pas s'accélérer.

Nous filâmes le long du couloir, tournâmes un coin et quittâmes l'école. Le soulagement et la quiétude me submergèrent. Cette fois-ci, Opal avait réellement été mon ange gardien.

Je ne ralentis pas avant d'avoir atteint le trottoir. À ce moment-là je m'arrêtai, prête à recevoir les explications de Danielle.

— Après m'avoir presque fait coffrer, tu me dois la vérité, dis-je en me retournant pour faire face à Danielle.

Sauf que je parlais dans le vide, Danielle avait disparu.

9

LORSQUE J'ATTEIGNIS LA MAISON, LES LUMIÈRES étaient éteintes et ma grand-mère dormait déjà. Je trouvai un message sur la porte de ma chambre de la part de Nona. La note disait seulement « Ta mère a téléphoné. »

Je venais de passer la dernière heure à violer la loi et à risquer de me faire arrêter,

mais rien de tout ça ne se comparait au sentiment d'angoisse que j'éprouvai à la lecture de
ces quatre mots. J'aurais préféré revenir sur
mes pas pour faire face au timbré de concierge plutôt que de retourner l'appel.

Ma mère m'aimait peut-être, mais elle ne
m'appréciait vraiment pas beaucoup. Et qui
pouvait l'en blâmer ? J'étais une enfant
bizarre. Mes sœurs étaient tellement plus
faciles à vivre, car elles partageaient la
passion de ma mère pour la musique et les
arts du spectacle, et leur chambre était toujours propre. Quant à moi, tant ma chambre
que ma vie n'avaient jamais été ordonnées.
Les amis imaginaires de mon enfance
n'avaient rien d'imaginaire. Je savais souvent
des choses dérangeantes, comme la fois où
notre vieille voisine était tombée en bas de
l'escalier. Elle était restée étendue là jusqu'à ce
que je convainque mes parents d'aller voir si
tout allait bien pour elle. Ou encore la fois où
j'informai mon professeur de piano que sa
fille s'était cassé le bras, et ce, quelques
minutes avant qu'elle ne reçoive un appel
téléphonique de l'hôpital.

Et je savais, sans qu'on me l'ait dit, que ma
mère me chasserait de la maison ; d'ailleurs,
mes valises étaient déjà faites lorsqu'elle m'a

appris la nouvelle. Bien sûr que cette décision m'avait fait mal, mais je ne lui ai pas laissé voir. Je n'ai jamais contesté sa décision. C'est plutôt papa qui a pris ma défense en accusant ma mère de surréagir. En fin de compte, il a préféré la paix à la guerre et a accepté en toute sérénité la décision de maman. Le seul contact que j'avais maintenant avec elle, c'était le chèque mensuel qu'elle me faisait parvenir pour couvrir mes dépenses.

Alors, pourquoi avait-elle téléphoné ?

Je m'éveillai le lendemain en me posant toujours la question. Cependant, je n'avais nullement l'intention de prendre le téléphone pour connaître la réponse. Si maman avait quelque chose d'important à dire, elle rappellerait.

Décider de ne pas appeler ma mère fut chose facile ; choisir une tenue vestimentaire fut un peu plus difficile. Après avoir essayé quatre chandails, deux jupes et cinq paires de pantalons, j'optai finalement pour un haut jaune décolleté et un jean foncé. Puis, je me maquillai légèrement. Pour la touche finale, je mis de minuscules boutons d'or à mes oreilles. J'étais élégante, voire attirante, mais assurément pas originale.

Lorsque je me vis dans le miroir, je m'aperçus que je souriais ; je songeais à Josh et j'étais
impatiente de me rendre à l'école. M'attendrait-
il près de mon casier ?

Il y était ; son visage s'illumina lorsqu'il
me vit.

Pendant que je fouillais dans mon casier,
Josh parlait de son week-end. Il était allé à
une réunion de magiciens et il avait appris à
faire marcher des souliers dans les airs.

— Pas marcher réellement, bien sûr, mais
ayant l'air de le faire, me raconta-t-il en faisant
claquer les doigts. Comme par magie.

— Comment puis-je savoir si c'est un truc
ou de la magie ? lui demandai-je en attrapant
mon cahier d'anglais.

— Facile. Il n'y a pas de vraie magie.

Je me demandais s'il dirait la même chose
à propos des voyants.

Josh poursuivit en décrivant la fête pour
le quatre-vingt-dix-neuvième anniversaire de
sa grand-tante. Au lieu d'apporter des ca-
deaux, chacun avait raconté une histoire amusante ou une blague. Son histoire à lui était à
propos d'un bol de Jell-O vert et d'un caniche
miniature, et j'en riais encore lorsque nous
arrivâmes à notre premier cours de la journée.
Le professeur n'était pas encore là ; alors,

nous attendîmes dans le couloir avec quelques autres jeunes.

Josh lança son sac à dos près de la porte, puis il se tourna vers moi.

— Comment était ton week-end ?

— Ennuyant, répondis-je en haussant les épaules. Ni caniches ni Jell-O.

— Rien d'intéressant ?

— Nah.

Sauf avoir vu un fantôme et m'être fait surprendre par le concierge après être entrée par effraction dans l'école.

— Il y a bien eu une chose amusante, poursuivis-je après avoir hésité.

— Laquelle ?

— Ma grand-mère a perdu son cahier de notes et je l'ai retrouvé… dans le réfrigérateur.

— Pourquoi l'avait-elle déposé là ?

— Pour ne pas le perdre.

Je gloussai à la vue de l'expression confuse de Josh.

— Il fallait y être mais, crois-moi, c'était étrange même pour ma grand-mère.

— Je te crois.

Josh serra ma main. À la façon dont il me regardait, il n'était plus question de ma grand-mère. Je sentis le rythme de mon cœur s'accélérer au moment où il se rapprocha de moi. Nous étions debout en plein milieu d'un couloir d'école, avec des jeunes tout autour, et pourtant c'était comme si nous étions seuls au monde. J'étais certaine qu'il allait m'embrasser.

— Sabine !

Penny-Love se propulsa entre nous comme une torpille, ses cheveux roux frisés s'entortillant autour de son visage couvert de taches de rousseur.

— Attends d'entendre ça ! s'exclama-t-elle.

— Entendre quoi ? demandai-je un peu sèchement.

— Alors, tu ne sais pas ? Wow ! On en parle partout dans l'école !

— Ça m'étonnerait, fit Josh en regardant sa montre. Les classes ne commencent pas avant dix bonnes minutes.

— La rumeur suit son propre rythme, non celui de l'horaire des cours.

Penny-Love fit une pause pour reprendre son souffle.

— Quelqu'un est entré par effraction dans l'école hier soir !

— Entré par… ?

Mes jambes cédèrent presque sous moi.

— Oh, non ! m'exclamai-je.

— Oh, oui. Dunlap s'entretient avec les policiers en ce moment.

— Les policiers ?

Dunlap était le directeur. J'eus la nausée.

— Ils sont ici ? demandai-je.

— Deux policiers avec des pistolets et tout l'attirail. Qui l'a fait, d'après toi ? Les crimes sont censés être perpétrés dans les grandes villes, pas ici. C'est tellement excitant !

Josh fronça les sourcils.

— Qu'est-ce qui a été endommagé ?

— Des fenêtres ont été défoncées, des jurons ont été peinturés sur des murs, des poubelles renversées, et les malfaiteurs ont volé des trucs dans une salle de fournitures.

— Mais, comment cela a-t-il pu arriver alors que j'étais…

Je me plaquai la main contre la bouche.

— Je veux dire… comment quelqu'un peut-il faire une chose pareille ?

— Choquant, hein ?

Penny-Love secoua la tête, mais les étincelles dans ses yeux ne laissaient aucun doute sur le fait qu'elle en tirait du plaisir.

— Probablement quelques voyous de Regis High, déclara Josh, la mine renfrognée.

Quelques autres jeunes s'étaient approchés pour entendre la rumeur.

— C'est plus sérieux qu'un mauvais tour entre écoles rivales, dit Penny-Love avec un air sinistre.

— Y a-t-il eu des témoins ? demanda Josh.

— Ouais. J'ai entendu dire qu'une voisine avait vu quelqu'un sortir en courant de l'école. Elle pense que c'était une fille.

— Elle ne l'a pas vue clairement ? demandai-je avec anxiété.

— Je ne crois pas, répondit Penny-Love en haussant les épaules. Cependant, on a trouvé des empreintes digitales peinturées près de la salle des fournitures.

Je détournai mon regard, me maudissant de ne pas m'être lavé les mains avant de quitter la maison de Jill. Le service de police serait-il en mesure de faire concorder ces empreintes avec les miennes ? Bien que j'aie eu des problèmes à mon ancienne école, je n'avais jamais été arrêtée. Je ne croyais pas que mes empreintes digitales pouvaient être fichées à quelque endroit que ce soit. Peut-être n'étais-je pas en danger… pour l'instant. D'ailleurs, le pire que l'on pouvait me reprocher, c'était de m'être introduite dans l'école, ce qui, d'un point de vue légal, n'était pas une violation de propriété puisque Danielle avait une clé. De plus, rien n'avait été vandalisé pendant que nous étions dans le bâtiment.

— Et le concierge ? demandais-je. Pourquoi n'a-t-il pas arrêté les vandales ?

— Il n'en a pas eu la chance, répondit Penny-Love en baissant la voix. Pauvre gars.

Mon pouls fit un bond.

— Que veux-tu dire ?

— J'imagine que le concierge les a surpris à démolir l'école, répondit Penny-Love.

Elle fit une pause.

— Il a été attaqué et on l'a retrouvé inconscient, ajouta-t-elle sur une note dramatique. Si jamais il se réveille, il sera sûrement en mesure de dire qui a fait ce grabuge.

10

UN CARREAU DE LA FENÊTRE DU LABORATOIRE
informatique avait été fracassé et, lorsque
j'arrivai pour assister à ma classe de journalisme en sixième période, un ouvrier s'af-
fairait à clouer un panneau de contreplaqué
pour recouvrir l'ouverture.

— Par chance, les ordinateurs n'ont pas été endommagés, dit Manny en levant les yeux de son clavier.

Le fil barbelé inséré dans ses rastas et les accrocs savamment planifiés sur son jean lui donnaient une allure branchée et sophistiquée qui attirait l'attention.

— C'est dommage pour le vandalisme et le concierge, mais ça fait un papier formidable. J'ai quitté mon dernier cours pour y travailler et j'ai presque terminé mon article.

— J'espère que tu as démêlé les faits correctement. Les rumeurs sont devenues totalement folles.

— Ouais. Le suffrage populaire désigne les sportifs de Regis High comme coupables, mais je ne pense pas qu'ils se soient attaqués au concierge.

Je déposai mes effets sur mon pupitre, puis m'approchai de Manny.

— As-tu interrogé les policiers ?

— Pas encore. Dunlap m'a cependant fourni assez de renseignements pour que je puisse rédiger mon article. Je n'arrive pas à croire que les vandales aient été si négligents. Ils ont laissé des tas d'indices.

— Ah oui ? demandai-le d'une voix étranglée. Comme quoi ?

— Tu le sauras lorsque tu réviseras mon papier.

Manny enfonça une touche du clavier et l'imprimante se mit en marche. Lorsqu'elle s'arrêta, il me tendit deux pleines pages de texte.

— Le plus tôt sera le mieux ! Merci à l'avance.

J'acquiesçai d'un signe de tête et, les mains tremblantes, j'étais déjà en train de parcourir le texte qu'il m'avait tendu. Manny avait commencé avec les informations de base : l'endroit, l'heure, la date et une description des dommages. Puis, il avait dressé une liste des articles manquants : des agrafeuses jusqu'à la télévision. Il poursuivait en décrivant les blessures du concierge : un coup sur la tête, des coupures et des ecchymoses. Il ajoutait que l'homme avait repris connaissance, mais que sa mémoire était confuse et que les policiers avaient été incapables d'obtenir de lui des réponses à leurs questions.

Des frissons me parcoururent le corps. Monsieur Watkins avait peut-être volé des fournitures, mais il ne s'était tout de même pas agressé lui-même. Et s'il était désorienté au point de penser que c'étaient Danielle et moi qui l'avions agressé ? Je n'avais même pas d'alibi puisque Nona dormait lorsque j'étais rentrée à la maison. Et je ne pouvais dire à personne pourquoi j'avais quitté le domicile de Jill si tôt. Qui croirait qu'une vision psychique m'avait conduite à l'école ?

Les mots couchés sur le papier s'embrouillèrent alors que je tentais de toutes mes forces de garder mon calme. J'avais déjà eu des ennuis auparavant ; on m'avait accusée de choses sur lesquelles je n'avais aucun contrôle.

— Ça ne se produira pas une nouvelle fois, murmurai-je.

Je me mis à rougir lorsque je réalisai que j'avais parlé tout haut.

— Qu'as-tu dit ? m'interrogea Manny en faisant pivoter sa chaise pour me faire face. As-tu trouvé quelque chose qui ne convenait pas ?

— Pas à propos de ton article, lui répondis-je.

Or, il y avait des tas de choses qui n'allaient pas dans ma vie et je ne pouvais pas rester assise à attendre que les policiers me passent les menottes. La dernière fois que j'avais été accusée à tort, j'avais encaissé le coup sans me défendre. J'avais compté sur mes parents pour venir à ma rescousse, et j'avais été déçue. La seule personne à laquelle je pouvais me fier, c'était moi. Je devais découvrir ce qui s'était réellement passé la veille.

Et je commencerais par interroger la personne qui m'avait apporté ces ennuis.

* * *

Josh m'a dit que, selon Evan, Danielle était malade et qu'elle ne viendrait pas à l'école pendant quelques jours.

— Mais voici son numéro de téléphone, ajouta-t-il en se dirigeant vers sa voiture.

Lorsqu'il n'était pas occupé après les cours, il aimait me reconduire à la maison ; plus tard, nous nous parlions au téléphone. Je n'avais pas encore trouvé le courage de l'inviter à entrer chez moi pour faire la connaissance de Nona.

Des feuilles mortes crépitaient sous mes pas alors que je descendais la longue allée de garage. Au loin, dans le pâturage, je vis Nona et Dominic qui soignaient une des vaches. Parfait. Il n'y aurait personne dans la maison au moment où j'appellerais Danielle.

Je saisis le téléphone et composai le numéro que Josh m'avait donné.

— La résidence des Crother, répondit un homme, probablement le père de Danielle.

— Heu. Bonjour. Est-ce que Danielle est là ?

— Oui, mais elle ne va pas bien.

— Pourrais-je lui parler quelques minutes ? C'est important.

— Hum… j'imagine que ça ne peut pas nuire. Je vais voir si elle est d'attaque pour ça. Patiente une minute.

Il s'écoula plutôt quatre minutes avant que Danielle ne prenne la communication en toussant et en demandant qui était à l'appareil.

— Sabine, lui répondis-je. On doit discuter.

— Ça ne peut pas attendre ? demanda-t-elle en toussant de nouveau. Je ne me sens pas très bien. Je dois y aller…

— Ne raccroche pas !

— Je crois que je vais vomir…

— Arrête de charrier. Tu n'es pas vraiment malade.

— Oui, je le suis !

— Bien sûr, dis-je avec sarcasme. Et hier soir ! Ce n'était qu'un cauchemar ! Ne me repousse pas, Danielle, sinon je rappelle immédiatement et je parle à ton père. Je crois qu'il sera très intéressé d'apprendre que sa fille a pénétré par effraction dans l'école et…

— Non ! Tu ne comprends pas.

— Ça, c'est certain.

— Tu ne dois rien dire à mes parents. Ils pensent que j'étudiais avec une amie hier soir et ils seraient anéantis s'ils savaient que j'ai menti. Ils ont cette idée irréelle que je suis la fille parfaite et je ne veux pas leur faire de mal.

— Je ne dirai rien si tu m'expliques ce qui est arrivé. Les événements ont pris une tournure très sérieuse. N'as-tu pas entendu parler du vandalisme et du concierge qui a été agressé ?

— Bien sûr. Evan me l'a annoncé, mais ça ne nous implique pas. Nous étions déjà parties.

— Toutefois, nous ne pouvons pas le prouver. Il semble que le concierge ne se souvient pas de grand-chose, mais que se passera-t-il s'il informe les policiers que nous étions à l'école hier soir ? Nous pourrions être tenues responsables de tout.

— Mais c'est faux ! s'exclama Danielle d'une voix stridente. Nous n'étions plus sur place lorsque les incidents se sont produits.

— Si quelqu'un apprend que nous y étions, ne serait-ce qu'un seul instant, nous pourrions avoir de sérieux ennuis, être renvoyées de l'école ou arrêtées.

— Oh, mon Dieu ! je… je mourrais si on en arrivait là, murmura Danielle. Oh, Sabine… que peut-on faire ?

Il y eut une longue pause à l'autre bout du fil, et j'eus l'image de Danielle recroquevillée sous sa courtepointe en patchwork, serrant un oreiller contre sa poitrine avec ses mains tremblantes. Son visage pâle était taché de larmes et le plateau-repas posé à côté de son lit était intact.

— Tu gagnes, dit-elle enfin d'un ton las.

Puis elle me raconta.

* * *

Danielle était une menteuse et une tricheuse.

À tout le moins, elle planifiait tricher en volant un examen important à son professeur de biologie. En travaillant au secrétariat, elle avait appris que l'unique exemplaire du test était caché dans une pièce de rangement fermée à clé. Alors, elle avait « emprunté » une clé. Son plan semblait simple : se rendre dans le local après les cours, se glisser furtivement à l'intérieur et reproduire l'examen. Personne ne le saurait et elle réussirait haut la main son examen de biologie.

Sauf que j'étais venue et que je l'avais surprise en flagrant délit. Elle m'avait menti et manipulée afin que je l'aide. En entendant cette histoire, j'aurais dû être en colère, mais Danielle semblait si malheureuse que j'éprouvai de la tristesse pour elle. De plus, j'étais soulagée parce que, cette fois, j'avais réagi à ma vision et peut-être empêché Danielle de rencontrer les vandales et d'être attaquée comme l'avait été le concierge.

Danielle me supplia de garder son secret et, puisque j'avais mes propres secrets à protéger, j'acceptai sa proposition.

Je me demandais encore qui avait commis les actes de vandalisme à l'école. Retournant ce problème dans ma tête, je me suis étendue sur mon lit en fixant le plafond. Mes yeux étaient douloureux et ma vision s'embrouillait. Les paupières fermées, je repassais les événements de la veille, encore et encore, en essayant de démêler les questions et d'en tirer des réponses claires. Où était allée Danielle après m'avoir quittée ? Le concierge avait-il vu son agresseur ? Était-ce une personne ou un groupe ? Je voyais un mur éclaboussé de peinture sur lequel étaient écrits de grossiers messages.

J'entendis une porte du rez-de-chaussée claquer au vent, ce qui brisa ma concentration. Nona devait être revenue du pâturage pour préparer le repas. C'était une cuisinière hors pair et elle m'avait promis de préparer mon plat préféré pour le dîner : une lasagne. L'eau me vint à la bouche en pensant aux pâtes garnies de fromage, aux légumes et aux saucisses maison. Bien que nous ayons une salle à manger, nous prenions toujours nos repas sur la grande véranda en regardant le coucher de soleil. Dominic ne se joignait jamais à nous, ce qui me convenait parfaitement.

Depuis que j'avais emménagé ici, Nona et moi étions devenues des amies intimes. Elle m'avait dit que nous étions unies par un lien très fort, un lien qui remontait à nos vies antérieures. Nous avions été sœurs, mère et fille, et même mari et femme. J'avais ri, prétendant ne pas croire ces sornettes. Par contre, je n'avais aucun doute que notre relation était profonde et qu'elle tirait son origine de temps lointains.

Tout cela prendrait fin si je devais partir.

« Je devrais offrir mon aide à Nona pour préparer le repas, pensai-je, mais, si je descends maintenant, son sixième sens détectera mon angoisse en un quart de seconde. »

Je pris plutôt mon sac d'artisanat et canalisai mon énergie nerveuse vers la broderie. L'aiguille piquait et repiquait, tordant les fils et les faisant tournoyer pour les métamorphoser en délicats dessins.

Des dessins se présentaient aussi dans mon esprit. Des preuves incriminantes s'empilaient contre moi. J'avais été dans la pièce de rangement et j'avais laissé des empreintes de peinture derrière moi. Un témoin m'avait peut-être aperçue. Et je m'étais querellée avec le concierge, qui était maintenant hospitalisé.

— Ça ne sent pas bon, murmurai-je en coupant un fil argenté avec les ciseaux.

Regardant fixement le paysage blanc, je vis des formes qui n'étaient pas là à première vue : un hibou volant dans une tempête de neige et un lièvre blanc qui grignotait un long brin d'herbe gelé. Les choses s'éclaircissent lorsqu'on regarde au-delà des apparences.

C'est aussi ce que je devrais faire. Il me fallait dépasser la surface et creuser pour trouver des réponses à mes questions. Pour ce faire, je ne pouvais pas me fier à Opal ou à des visions psychiques déroutantes. Je n'avais aucune façon de refréner mon don ; il me fallait simplement apprendre à le maîtriser, ce que je ne voulais pas faire. Plus j'utiliserais mon sixième sens, plus il se renforcerait. Par la suite, je ne me libérerais jamais des autres mondes.

— Sabine, puis-je entrer ?

En levant les yeux, j'aperçus Dominic qui se tenait debout dans l'embrasure de la porte.

— Que fais-tu ici ? le questionnai-je avec brusquerie.

Il bougea légèrement les pieds, l'air mal à l'aise.

— J'ai quelque chose à te demander.

— Fais ça vite, répondis-je en indiquant mon ouvrage de broderie. Je suis assez prise en ce moment.

— C'est à propos de ce que tu as dit, le fait que tu aies vu ma mère.

— Oublie ça. J'avais des hallucinations.

— C'est ce que j'ai d'abord pensé…

Dominic s'approcha plus près de moi et, bien qu'il ne fût pas aussi grand que Josh, sa forte présence remplissait ma chambre.

— Sauf que depuis, j'ai trouvé une chose étrange, poursuivit-il.

Mon aiguille glissa et me piqua légèrement un doigt. Je grimaçai.

— Quoi ?

— Ceci, répondit le garçon en me tendant une pièce de monnaie argentée. Elle était dans ma poche.

— Et après ? Ce n'est qu'une pièce de cinq cents des plus ordinaires.

— Tu *sais* que c'est plus que ça. Elle a été frappée l'année de ma naissance.

— Je n'ai aucune idée de ce que tu parles.

La pièce vibrait dans la paume de ma main ; alors, je la lançai à Dominic sans la regarder.

Il l'attrapa et m'observa d'un air accusateur.

— Tu connais pas mal de choses, n'est-ce pas ?

Je lui indiquai la porte.

— Sors.

— Je ne vais nulle part avant que tu m'aies expliqué. Comment savais-tu à propos de ma mère ? Est-ce Nona qui t'en a parlé ?

Est-ce que c'était un genre de truc ? Ou l'as-tu vraiment vue ?

— Tu étais là. Trouve la réponse.

— Je pense que je l'ai découverte, dit doucement Dominic. Cependant, je n'arrive pas à comprendre pourquoi tu as menti à ta grand-mère en lui disant que tu avais perdu ton don.

— Je ne sais pas de quoi tu veux parler ! m'exclamai-je en me croisant les bras sur la poitrine. Et qui te croirait de toute façon ?

— Personne n'a besoin de *me* croire.

Dominic jeta un coup d'œil à l'étagère où je rangeais mes veilleuses et glissa le bout de ses doigts calleux sur l'aileron pointu d'une veilleuse en forme de requin.

— Tu vas le dire à ta grand-mère.

— Ah oui ?

— Oui. Et tu as vingt-quatre heures pour le faire.

— Sinon quoi ? m'informai-je d'un ton sarcastique. Tu me dénonceras ?

— Si je le dois, s'écria Dominic, l'expression de son visage aussi difficile à lire que celle de son faucon.

— Vas-y. De toute façon, ma grand-mère ne te croira jamais.

— En es-tu certaine ? Ne t'es-tu pas demandé pourquoi Nona m'avait invité à venir m'installer ici ?

— Non, mentis-je.

— C'est en partie parce qu'elle connaissait ma mère. Le reste concerne les talents inhabituels et Nona m'a prié de ne pas t'en parler. Elle s'inquiétait du fait que tu en serais contrariée parce que tu n'avais plus le don de voyance.

Dominic émit un grognement.

— Je crois que c'est elle, le dindon de la farce, poursuivit-il.

J'enfonçai les doigts dans mon tissu brodé.

— Ce qui se passe entre Nona et moi ne te regarde pas.

— Ça me regarde depuis qu'elle m'a demandé de prendre ta place.

— *Ma place* ?

Ces mots me firent l'effet d'un coup de marteau au cœur.

— Tu es si occupée à traîner avec tes amies et à sortir avec ce poids plume qui fait semblant de faire de la magie que tu ne sais même pas ce qui arrive à ta propre grand-mère, me fit remarquer Dominic. Lorsqu'elle a eu besoin de toi, tu lui as déclaré que tu avais perdu ton don. Alors, elle s'est choisi un nouvel apprenti, quelqu'un à qui elle pouvait confier ses secrets en toute confiance.

— Toi ? murmurai-je.

Le garçon hocha la tête de façon solennelle.

— Mais pourquoi ? poursuivis-je.

— C'est à elle de t'expliquer ça. J'en ai déjà trop dit.

Dominic tendit la main vers la poignée de porte.

— Si tu ne le dis pas à Nona d'ici demain midi, je vais le faire, me menaça-t-il.

Il sortit alors de la chambre à grandes enjambées, me laissant bouche bée.

Je jetai un coup d'œil à ma montre ; j'eus la nausée. Je ne pouvais pas faire face à Nona, mais je devais le faire dans les vingt-trois heures et cinquante-neuf minutes suivantes.

11

UNE AUTRE JOURNÉE À L'ÉCOLE. LES COULOIRS
étaient bondés de jeunes qui traînaient ou qui
se ruaient vers leur salle de classe, et Josh
m'attendait à mon casier. Je souriai lorsqu'il
me raconta une drôle d'histoire à propos de
son chien « Cheval ». Josh était si facile à
côtoyer et j'adorais son sens de l'humour, une

chose que de toute évidence Dominic ne possédait pas.

Penser à Dominic me mettait l'estomac à
l'envers. Les ennuis se rapprochaient à une
vitesse vertigineuse, tant à l'école qu'à la maison.

À l'école, à tout le moins, je pouvais faire
semblant que tout allait bien. Personne n'avait
fait le lien entre les empreintes digitales sur le
mur et moi, le concierge était toujours à
l'hôpital et Danielle était encore absente.

L'après-midi, mon sourire artificiel était
prêt à craquer. J'étais fatiguée de parler de
tout sauf de ce qui me préoccupait réellement.
Et je n'avais pas avancé d'un poil dans la réso-
lution du crime. Qu'est-ce que je connaissais
aux enquêtes ? Rien. J'avais besoin d'aide,
mais je n'avais personne vers qui me tourner.
Mon amie Penny-Love n'avait pas sa pareille,
et c'était d'autant plus vrai lorsqu'il s'agissait
de potiner. Je pouvais faire confiance à Josh
mais, lui, aurait-il toujours foi en moi lorsqu'il
saurait ce que je lui avais caché ? Et Dominic,
qui avait deviné mon secret, était la dernière
personne à qui je me confierais.

À mon grand étonnement, l'aide survint
de façon tout à fait inattendue.

Puisque je n'étais pas pressée de rentrer à la maison, je dis à Josh qu'il me restait des travaux à faire pour le journal. Je me rendis au laboratoire informatique et j'y trouvai Yvette, la journaliste sportive ; elle était avec Manny et ils étaient occupés à sélectionner les photographies pour la prochaine édition du journal. Yvette était une étudiante de première année. Elle était grande, avait les traits anguleux, un bon sens de l'observation et on ne la voyait jamais sans un appareil photo à l'épaule. Elle et Manny étaient en désaccord sur le choix de la photo à placer à la une du journal mais, après une discussion animée, ils firent un compromis en décidant d'en utiliser deux. Puis, Yvette ramassa ses affaires et quitta la pièce.

Manny ferma son ordinateur. Il s'apprêtait à partir mais s'arrêta net lorsqu'il m'aperçut.

— Sabine, que fais-tu ici ?

— Heu, je travaille.

— À quoi ? demanda Manny en regardant mon bureau. Je ne t'ai assigné aucune nouvelle tâche.

— Je sais, ce n'est pas vraiment ça, il s'agit d'une autre chose.

J'avais mal à la tête.

— J'avais juste besoin d'être seule, continuai-je.

Manny tira une chaise pour s'asseoir près de moi.

— Dure journée? demanda-t-il d'une voix plus douce. Confie tout au voyant Manny.

— Voyant!

Mon rire était amer.

— Tu n'as aucune idée de ce qu'est un voyant. Si c'était le cas, tu ne laisserais plus jamais personne t'appeler ainsi.

— Peut-être que je ne connais pas vraiment l'avenir, mais je ne suis pas aveugle. Je vois bien que tu es bouleversée. Y a-t-il des ennuis au pays merveilleux de Josh?

— Non. Il est formidable.

— Alors, quel est le problème?

— Moi, soupirai-je.

— Ce n'est pas possible!

Manny secoua fermement la tête, ce qui fit tinter les fils barbelés de ses tresses rastas.

— Je n'y crois pas une seule seconde, poursuivit-il. Tu es la plus travaillante au journal, toujours prête à rendre service, et tu es la seule qui ne se plaint jamais. Si j'étais le pape, je te canoniserais.

— Ou bien tu me brûlerais en tant que sorcière, murmurai-je.

— Qu'est-ce que cette phrase est censée vouloir dire ?

— Rien, répondis-je en me levant debout. Je dois partir.

— Pas cette fois, Sabine.

Manny me fit gentiment rasseoir sur ma chaise.

— Tu ne m'as jamais expliqué ce que voulait dire le tatouage en forme de libellule, continua-t-il, ni pourquoi tu étais complètement bouleversée la semaine dernière. Et ne pense pas que je n'ai pas aussi remarqué d'autres choses.

Je sentis mon cœur bondir.

— Quelles choses ?

— Par exemple le fait que tu ne parles jamais de ta famille ni de ton ancienne école. Alors, tu comprends, j'ai mené ma petite enquête, question de développer mes talents pour ma future carrière de journaliste d'investigation, et j'ai découvert des informations intéressantes.

Je tambourinai sur le pupitre avec mes ongles, sans regarder Manny dans les yeux. Je combattais ainsi l'envie de me poser les mains sur les oreilles ; je m'efforçais de rester calme.

— La gentille et douce Sabine s'avère être, et je cite : « Perturbatrice et dangereuse pour les autres étudiants. » Ça vient du directeur de ton ancienne école.

— Tu ne peux croire ce qu'il dit. C'est un imbécile.

— De plus, tu as été accusée d'avoir des intuitions délirantes et on t'a ordonné de consulter un psychiatre.

— Je n'y suis allée qu'une fois. C'est une imbécile aussi.

— Un groupe d'étudiants a lancé une pétition pour te faire renvoyer.

— Et alors ? dis-je en haussant les épaules. Je ne peux pas m'attendre à être appréciée de tout le monde.

— Eh bien, *moi*, je t'apprécie, dit Manny avec un petit rire en coin. Et davantage depuis que je connais ton petit côté obscur.

— C'est vrai ? demandai-je d'une voix basse, sans vraiment croire ce qu'il disait.

Lorsque les amis apprennent que vous êtes différent d'eux, ils ont peur et ils se détournent de vous.

Manny, lui, il était là pour de bon.

— Tu es une fille plutôt tordue, me taquina-t-il en esquissant un large sourire. Comment as-tu réussi à te mettre une école entière à dos ? J'adorerais entendre cette histoire.

— Tu ne pourrais pas comprendre.

— Binnie, je peux comprendre toute situation, et tout le monde.

Je fixai Manny et une folle idée surgit dans ma tête. Il possédait sans aucun doute un talent pour les enquêtes. Centré sur sa propre personne, il se pavanait avec un ego qui avait dix fois les dimensions d'un terrain de football. Mais, au fond de lui-même, il était plein de ressources et d'amitié. Il avait les compétences pour m'aider à trouver qui avait saccagé l'école avant que les soupçons ne tombent sur moi. Le fait de chercher les vandales en sa compagnie contribuerait à détourner mon esprit de mes autres problèmes.

Alors, je lui donnai exactement ce qu'il voulait : la vérité.

* * *

Plutôt que de me fixer comme si j'étais folle, Manny me serra dans ses bras.

— Tu es un miracle ! Toute ma vie, je t'ai attendue.

— J'espère que tu n'es pas en train de me draguer, parce que c'est vraiment nul.

J'essayais de faire des blagues, mais mon pouls battait à vive allure.

— Ce n'est pas ce que je veux dire, m'expliqua le garçon, alors que ses yeux sombres brillaient pendant qu'il regardait vers la fenêtre. La chronique de Manny, le voyant, c'est juste un début. Ensuite, ce sera la gloire, la fortune et le prix Pulitzer. Avec ton don et mon cerveau, tout est possible.

— Je t'arrête tout de suite, répliquai-je en levant la main pour l'interrompre. Ce que je t'ai confié est confidentiel.

— Mais tu as dit que tu souhaitais que nous travaillions ensemble.

— Oui, sauf que c'est un secret. Personne ne doit découvrir que je suis différente. Je vais te fournir des prédictions correctes pour ta chronique si tu m'aides à trouver qui a saccagé l'école.

— Tu devrais le savoir, non ?

— Je sais seulement ce qu'il m'est permis de connaître.

Je lus la confusion sur le visage de Manny et je tentai de lui expliquer.

— J'ignore quand j'aurai des visions et, lorsque j'en ai une, les images sont dérou-

tantes. Par exemple, quand j'ai vu une libellule ensanglantée, je ne savais pas du tout ce
que ça signifiait jusqu'à ce que je rencontre
Danielle et que je remarque son tatouage.
Puis, une autre vision m'a conduite à l'école.
Je pense que j'ai fait ce que je devais faire,
mais je n'en suis pas certaine.

— Est-ce que les visions constituent la
seule façon pour toi de recevoir un message
psychique ?

— Non. Quelquefois, les fantômes et les
esprits communiquent avec moi.

— N'est-ce pas la même chose ?

Je secouai la tête.

— Les fantômes sont désorientés, géné-
ralement craintifs de quitter la Terre pour
passer de l'Autre côté. Les esprits sont déjà
dans l'Au-delà, mais ils peuvent revenir en
visite. Quelques-uns sont des guides, comme
Opal, ma guide spirituelle.

— Est-ce qu'elle veille sur toi comme un
ange ?

— Oh, pour ça, elle veille, mais elle n'a
rien d'angélique. Elle a un énorme problème
d'attitude et me dit que je dois apprendre de
mes erreurs, sans pour autant me donner
quelques indices sur mon propre avenir. Je

sais qu'elle m'aime. Je souhaiterais simplement qu'elle soit moins directive et critique.

— On dirait mon père, lança Manny. Je suis content de ne pas avoir de guide spirituel.

— Ah, mais tu en as un.

Je fermai les yeux et me concentrai. Je n'avais pas de pouvoir sur mes visions, mais je pouvais habituellement avoir conscience de la présence de guides spirituels.

— Il s'appelle William.

— Est-ce que tu me taquines ?

— Non, je suis sérieuse. Il a une barbe foncée et un grain de beauté sur le nez. Il était fermier jusqu'à ce qu'il fasse vœu de célibat et devienne moine.

— Célibat ? Tu veux dire, ne jamais… jamais, jamais ?

— Ouais.

— Pauvre gars ! s'exclama Manny en levant les yeux vers le ciel. Willy, si tu m'écoutes, sois sûr que je sympathise avec toi.

J'éclatai de rire. Manny était peut-être superficiel, mais on ne pouvait s'empêcher de l'aimer.

— Que faut-il faire pour commencer l'enquête ? demandai-je en joignant les mains sur mes cuisses.

— Parler à des gens, faire des recherches en ligne et examiner la scène du crime.

Manny tira de sa poche un petit carnet de notes et un stylo.

— Il faut conserver la trace de tout ce que tu apprends dans un cahier de notes, fouiller pour trouver les failles.

— Les failles ?

— Ouais. Ce n'est pas tellement les faits que tu recherches, mais les réponses aux questions qui te tracassent.

— Par exemple, pourquoi l'école a-t-elle été saccagée après mon départ ? demandai-je.

— Exactement. Est-ce une coïncidence ou un indice ?

— Je ne le sais pas, répondis-je en haussant les épaules.

— Alors, nous le découvrirons. Je vais examiner la scène du crime et parler à cette voisine qui a vu quelqu'un s'enfuir en courant…

— C'était moi, soupirai-je. Elle m'a vue, moi.

— Tu ne peux pas en être sûre, pas plus que tu ne peux être certaine de pouvoir faire confiance à Danielle. Se glisser furtivement dans la salle des fournitures me paraît hautement suspect.

— Je ne briserai pas la promesse que j'ai faite à Danielle, mais elle m'a dit pourquoi elle était là. Son mobile n'était pas honnête, mais elle n'a pas commis un crime majeur. Elle n'a pas cassé de carreaux ni peinturé des graffitis, et elle n'a absolument pas attaqué le concierge.

— Le concierge, nota Manny dans son cahier. Je vais faire des recherches à son sujet.

— Mais c'est la victime. Tu ne peux pas le soupçonner ?

— Pas vraiment. Un jour il m'a engueulé pour avoir craché par terre et je ne l'ai jamais aimé.

— C'est un crétin et, si ce que m'a appris Opal est vrai, un voleur aussi. Elle a déclaré que le coffre de voiture du concierge était rempli de fournitures volées à l'école, probablement certaines des choses que les policiers croient que les vandales ont emportées.

— Je vais approfondir ça aussi, annonça Manny. Il y a quelque chose que tu devrais faire, même si tu n'en as pas envie.

— Quoi ? lui demandai-je avec méfiance en le regardant fixement.

— Un don, c'est comme un cadeau, me fit-il remarquer ; si tu ne le déballes pas, il ne sert à rien.

Il agita son crayon devant moi.

— Utilise tes pouvoirs, poursuivit-il.

12

EN MARCHANT VERS LA MAISON, JE REPENSAI À ma conversation avec Manny.

C'était incroyable à quel point le garçon était à l'aise avec les aptitudes psychiques. Il n'avait ni paniqué ni eu peur que je lise dans ses pensées. Il se comportait comme s'il s'agissait d'un jeu excitant. Ce l'était peut-être pour lui, mais pas pour moi. Il était assez difficile de survivre dans ce monde, sans avoir à composer avec les entités de l'au-delà. Comme promis, je n'utiliserais mes « pouvoirs » que pour la chronique de Manny, le voyant, un point c'est tout.

« Je n'ai pas besoin de ton aide, Opal, pensai-je. Tu peux rester à l'arrière-scène et m'observer pendant que j'utilise mes cinq autres sens pour trouver les vandales. »

Au moment où je franchissais le seuil de la maison, je sentis une odeur d'herbes épicées. Je trouvai Nona dans la cuisine ; elle sifflait en faisant sauter des légumes et du riz dans un poêlon. Je savais qu'elle en préparait une grande quantité afin d'avoir suffisamment de restes pour Dominic. Elle n'en parlait jamais, mais j'avais remarqué qu'elle lui apportait de la nourriture dans la grange.

Dominic.

Il m'avait donné jusqu'à dix-huit heures, ou alors… et l'horloge de l'appareil vidéo indiquait 17 h 49 secondes.

Je pouvais toujours espérer qu'il avait bluffé, mais c'était un bien mince espoir. Il se prenait beaucoup trop au sérieux pour faire de vaines menaces. S'il n'avait pas affiché des airs de grand seigneur, j'aurais pratiquement pu le respecter pour son comportement protecteur à l'égard de ma grand-mère. Or, si quelqu'un devait parler à Nona, ce serait moi.

— As-tu besoin d'aide ? demandai-je à ma grand-mère en entrant dans la cuisine.

Nona se détourna de la cuisinière en affichant un beau sourire.

— Merci, mais tout va bien.

— Ça sent bon.

— C'est presque prêt. Après, j'ai une tonne de travail à faire pour un nouveau client qui est très exigeant et ça me rend folle. Il veut une épouse ni trop grande ni trop mince et qui n'applique pas de vernis sur ses ongles d'orteil. Il insiste sur le fait qu'elle doive détenir un diplôme universitaire, sans toutefois être trop intelligente. De plus, elle doit être née en juin. C'est un casse-tête de première, mais je crois que j'ai trouvé la bonne personne pour lui, à condition que je puisse la convaincre de ne plus vernir ses ongles d'orteil.

— Entends-tu déjà résonner les cloches du mariage ? demandai-je.

Nona savait toujours si ses efforts de faiseuse de mariages étaient sur la bonne voie car, quand c'était le cas, des cloches tintaient dans sa tête. Si c'était la rencontre de deux âmes sœurs, elle avait aussi la vision de colombes blanches.

— Même pas un seul cliquetis, avoua ma grand-mère en mettant le couvercle sur la casserole. Peut-être d'ici à demain.

— J'ai toute confiance en toi. C'est époustouflant la façon dont tu réunis les gens. Et tes clients sont toujours si reconnaissants qu'ils t'invitent à leur mariage, sans compter cette dame qui a nommé sa fille en ton honneur. J'ai beaucoup d'admiration pour ton acharnement au travail…

— Sabine, qu'essaies-tu si désespérément de ne pas me dire ?

Nona s'essuya les mains sur un linge à vaisselle et me fixa d'un regard profond.

— Quelque chose te tracasse.

— Cesse de lire en moi.

— Est-ce que tout va bien à l'école ?

— Très bien.

— Et avec ton nouvel amoureux ?

— Encore mieux.

— Alors, pourquoi ton aura est-elle si désalignée ? Je ressens un conflit. De quoi as-tu peur ?

Je me dirigeai vers la table et me laissai choir sur une chaise avec lassitude. L'afficheur du four micro-ondes indiquait 17 h 52 secondes.

— Nona, tu as raison. J'ai peur… de te dire quelque chose.

— N'aie jamais peur de me dire quoi que ce soit.

— Tu vas me détester.

— Impossible. Je ne pourrais jamais te détester. Peu importe ce que tu as fait, je suis là pour toi.

Ma grand-mère me mit les mains sur les épaules.

— Qu'y a-t-il, ma douce ?

— J'ai menti.

J'inspirai profondément, puis lâché le morceau d'un coup avant de perdre mon courage.

— Lorsque j'étais petite et que je t'ai dit que je voyais des fantômes et que j'avais une amie invisible, tu as été la seule à me croire. Grâce à toi, j'avais l'impression que c'était normal de parler à ma guide spirituelle. Cependant, toutes les autres personnes ont paniqué, particulièrement maman. Puis, j'ai eu des ennuis à l'école ; j'effrayais les gens avec ce que je savais. Et puis, ce garçon qui est mort.

— Ce n'était pas de ta faute.

Je détournai le regard, avalant ma salive avec peine.

— En outre, tout ça, c'est du passé, ajouta Nona en me serrant les épaules doucement pour me rassurer. Tu n'as plus à te préoccuper de ça maintenant.

— Oui. Il le faut.

Ma voix trembla.

— Je parle toujours à Opal, avouai-je à Nona, et je sais encore des choses avant qu'elles n'arrivent. Je me déteste de t'avoir trompée, mais je n'ai jamais perdu le don. Peux-tu me pardonner ?

Pensive, elle plissa ses yeux brun noisette. Il y eut un dring provenant de la minuterie de la cuisinière et elle se retourna pour vérifier la sauce qui mijotait. Puis, elle fixa à nouveau son regard sur moi.

— Il n'y a rien à pardonner.

— Vas-y, engueule-moi. Je le mérite.

— Tu n'a pas à t'excuser auprès de moi.

— Je te dois bien plus que ça ! Tu étais tellement déçue lorsque je t'ai annoncé que j'avais perdu mes pouvoirs et que je ne pouvais pas transmettre le don à un autre membre de la famille. Puis, tu as amené Dominic ici pour en faire un genre d'apprenti. Seulement, tu n'as plus besoin de lui parce que tu m'as, moi.

— J'avais peur de ça, avoua Nona en secouant tristement la tête. Tu as découvert que je guidais Dominic et tu es jalouse.

— Non ! Ce n'est pas ça du tout !

— Tu n'es pas contrariée qu'il soit ici ?

— Bien… un peu.

Je marquai une pause.

— Mais là n'est pas la question, poursuivis-je. En fait, c'est Dominic qui a insisté pour que je te dise la vérité.

— Ma douce, tu n'as pas à faire semblant avec moi. Je t'aime, même si tu n'as pas hérité de mon don.

— Mais c'est le cas ! m'entêtai-je à dire. Je mentais auparavant, pas maintenant.

Nona serra doucement ma main.

— Sabine, tu es ma petite-fille et je t'adore plus que toute autre chose dans l'univers. Je l'admets, j'étais déçue lorsque j'ai appris que tu avais perdu tes aptitudes psychiques, mais j'ai accepté le fait, et tu dois aussi l'accepter.

— Mais je n'ai rien *perdu*. Je vois encore des fantômes. Je discute avec Opal tous les jours. J'ai des visions étranges.

— En es-tu certaine ? Ou veux-tu seulement penser que tu as le don ?

— Je ne m'imagine rien, je sais. Pourquoi ne me crois-tu pas ?

— J'aimerais bien, ma douce, mais il m'en faut davantage.

Ma grand-mère se mit les mains sur les hanches et me lança un regard de défi.

— Prouve-moi que tu as encore ce don.

13

Si Opal n'avait pas déjà été morte, je l'aurais tuée.

Elle aurait pu dire quelque chose — n'importe quoi — pour convaincre ma grand-mère que j'étais en contact avec l'Au-delà. Elle a plutôt claqué la porte de notre communication et y a installé un panneau « Sortie pour le lunch ». J'ai plaidé ma cause auprès d'Opal et je l'ai suppliée, mais en vain.

J'ai alors essayé d'évoquer un esprit.

Je visualisai une lumière blanche protectrice me protégeant comme une armure contre mes esprits malveillants. La plupart des esprits étaient sympas et avides de trouver quelqu'un qui puisse les comprendre, quelqu'un qui soit peut-être en mesure de transmettre un message à une personne aimée. Cependant, on ne savait jamais lorsqu'un esprit malveillant allait se pointer.

Nona attendait tout près, affichant un air patient et compréhensif, pendant que je me concentrais avec force.

« Est-ce qu'il y a quelqu'un ? » appelai-je en mon for intérieur.

Rien.

« Pouvez-vous m'entendre ? Je veux juste parler », implorai-je.

Selon toute apparence, personne ne voulait discuter avec moi, et j'en fis porter le blâme à Opal.

« Tu fais ça pour te venger du fait que je t'ai dit de t'en aller, l'accusai-je en silence. Vas-y. Joue ton petit jeu. Je peux me débrouiller seule. »

Nona me lança un regard rempli de pitié, ce qui alimenta ma détermination à prouver mes dires. Je claquai mes doigts et fit un geste en direction du téléphone.

— Regarde ça. Je vais prédire qui télé- phonera. Demande à quiconque d'appeler, mais ne me dis pas de qui il s'agit. Je devinerai son nom avant que tu décroches pour répon- dre.

— Est-ce que tu ne vas pas un peu trop loin ? questionna Nona, amusée.

— Pas tant que ça et je continuerai aussi longtemps que tu ne me croiras pas.

— Ce n'est pas si important. Tu es belle, en santé et intelligente. Tu es déjà mer- veilleuse telle que tu es, tu n'as pas besoin de pouvoirs surnaturels.

— Appelle quelqu'un, répétai-je en poin- tant le téléphone.

Nona soupira, mais fit ce que je lui demandais. Elle se rendit dans une autre pièce pour téléphoner à quelqu'un, en faisant bien attention de refermer la porte derrière elle afin que je ne puisse entendre la conver- sation. Quelques minutes plus tard lorsque l'appareil sonna enfin, je jouai à « Qui appelle », ce jeu que j'aimais tant depuis mon enfance.

— C'est une femme, annonçai-je en forçant l'apparition d'une image dans ma tête. Elle est blonde, dans la trentaine et elle... cherche l'amour.

Je saisis le combiné à la troisième sonnerie, et je mourus presque quand je reconnus la voix à l'autre bout du fil. Gerby Weatherby était un des amis de poker de Nona ; il était chauve et âgé de quatre-vingts quelques années.

— Le seul amour qu'il recherche, c'est une paire d'as, dit Nona en riant alors qu'elle remerciait Gerby et raccrochait.

— Mais j'étais tellement certaine...

Mes épaules s'affaissèrent.

— Comment ai-je pu me tromper ? poursuivis-je.

— Ça va, ma douce, dit Nona en me serrant de ses mains réchauffées par la chaleur de la cuisinière.

— Non. Ça ne va pas.

Je regardai autour de la pièce ; je ne voyais, n'entendait ni ne ressentais rien. Malgré le réconfort des bras de Nona, je ne m'étais jamais sentie si seule.

* * *

Combien de fois avais-je souhaité être une personne normale ? Pas de voix, de fantômes, d'anges ou de guide spirituelle autoritaire. Il faut être prudent avec ce que l'on souhaite.

Lorsque le téléphone sonna de nouveau un peu plus tard, je n'essayai même pas de deviner qui appelait, mais j'aurais probablement pu le faire.

— Tu sembles déprimée, dit Josh d'un ton compatissant.

— Un peu fatiguée, lui répondis-je en me recroquevillant sur le sofa du salon avec l'appareil en main.

— Alors, couche-toi de bonne heure et rêve à moi.

— C'est ce que je fais toujours, acquiesçai-je en souriant.

Josh et moi ne parlâmes de rien en particulier. J'éprouvais surtout du plaisir à entendre sa voix. Il pouvait lire le bottin téléphonique et se rendre intéressant. Nous terminâmes notre conversation en planifiant d'aller à l'hôpital le samedi suivant afin que je puisse l'observer faire des trucs de magie pour les enfants.

Lorsque je raccrochai, je me sentis encore plus seule. Je m'ennuyais déjà de Josh, mais c'était plus profond que ça. Ma tristesse s'étira tout au long du repas. Je ne fis pas beaucoup de commentaires lorsque Nona annonça la bonne nouvelle qu'elle avait trouvé une femme intelligente, facile à vivre et du signe des Gémeaux pour Monsieur-le-difficile. J'écoutais discrètement, jouant avec ma nourriture. Je ressentais une douleur à l'intérieur de moi, comme si j'avais perdu ma meilleure amie. Et je me surpris à plusieurs reprises à ne pas entendre la voix de Nona et à vouloir capter autre chose que les bruits habituels ; j'espérais entendre une voix familière et autoritaire.

Cette nuit-là, avant de me mettre au lit, j'essayai de me remonter le moral en branchant une veilleuse en forme de grenouille verte rigolote que papa m'avait achetée au Mexique. Elle avait un large sourire de grenouille grimaçante et des yeux bulbeux qui louchaient, car elle fixait une mouche perchée sur le bout de son nez. Accompagnée d'une douce lueur verte, je me glissai sous les couvertures fraîches et m'endormis à la douce pensée de Josh.

Toutefois, mes rêves prirent une sombre tournure ; je voyais une masse de libellules battant des ailes, des créatures géantes aux yeux démoniaques. Sang, ailes et danger. Une des créatures monstrueuses retenait Danielle entre ses griffes, volant plus haut que le ciel et les étoiles. Puis, les griffes se desserrèrent et Danielle tomba. Elle hurla, encore et encore, et j'essayai de l'attraper, mais mes bras refusaient de bouger ; ils étaient liés ensemble, inutiles.

Je me réveillai et vis mes bras enroulés dans les couvertures comme s'il s'agissait de cordes.

Me débattant pour me libérer, je repoussai les couvertures sur le sol et attendis que les battements de mon cœur ralentissent. Je jetai un œil autour de ma chambre, puis regardai à nouveau parce que quelque chose avait changé. La grenouille qui louchait avait été remplacée par une veilleuse en forme d'ange ailé.

« Comment cela s'est-il… Opal ! C'est toi qui as fait cela ! »

Je fermai les paupières et cherchai à apercevoir ma guide spirituelle. Je ne la voyais jamais vraiment complètement ; je n'entrevoyais que quelques petits morceaux embrouillés. Ce que je recherchais, c'était la sensation de sa présence ; j'étais un peu comme une chauve-souris qui vole aveuglément dans la nuit à l'aide de son sonar interne.

« Opal, est-ce que tu as remplacé ma veilleuse ? »

Je n'ai jamais aimé les grenouilles, dit-elle d'une voix qui me parvenait forte et insolente. *Ces créatures gluantes étaient la cause de la peste à mon époque.*

« Tu es ici ! m'exclamai-je de bonheur. Je n'arrivais pas à sentir ta présence. J'ai cru que tu étais partie. »

Je ne suis jamais partie.

« Pourquoi n'as-tu pas répondu ? »

Il n'y avait rien d'important à dire.

« Ça ne t'a jamais arrêtée auparavant. Et maintenant, Nona ne me croit pas. »

Ce n'est pas mon rôle d'intervenir.

« Tu es intervenue tout au long de ma vie. Pourquoi cesse-tu de le faire aujourd'hui ? »

Tu as une curieuse manière de montrer ta gratitude. Laisse-moi te rappeler que je suis ici comme guide spirituelle, non en qualité de servante.

« Pourquoi ne serais-tu pas mon amie ? J'avais besoin de toi plus tôt et tu m'as laissée tomber. J'avais commencé à douter de moi ; je pensais que j'avais peut-être perdu mon don, et toi aussi. »

Tu n'as rien perdu ; en fait, si tu es assez sage pour reconnaître ta chance, tu recevras un nouveau don bientôt.

« Rien n'a été bon dernièrement. Grâce à toi, Nona croit que je me fais des illusions et ma tentative d'aider quelqu'un pourrait finir par m'attirer de gros ennuis. »

Les vraies bénédictions prennent plusieurs formes et la sagesse fait partie du voyage. Ma chère enfant, tu me vexes constamment. Tu as tellement à apprendre.

Un soupir et Opal était partie.

Je marchai vers le mur et rebranchai la veilleuse à la silhouette de grenouille. Puis, je pris celle en forme d'ange et l'emportai dans le lit, la serrant contre ma poitrine.

Ma meilleure amie ne m'avait pas abandonnée.

Opal était de retour.

14

LE LENDEMAIN MATIN, PENDANT MA PREMIÈRE période de classe, je fus appelée au bureau du directeur.

Lorsque le professeur me remit le message du directeur, je me levai sur des jambes tremblantes et me tournai vers Penny-Love.

— Que te veut-il ? murmura-t-elle.

— Aucune idée, mentis-je.

— C'est étrange, mais probablement sans importance.

— Ouais, répondis-je en haussant les épaules pour cacher mon inquiétude. Probablement sans importance.

— Dunlap est correct, me fit remarquer Penny-Love alors que je mettais mon livre dans mon sac à dos. Les rumeurs voulant qu'il ait poussé avec force un jeune contre un mur sont exagérées. Et je ne crois pas qu'il ait vraiment cassé le bras de Nick.

Ravalant ma salive, je jetai un coup d'œil vers Josh, qui leva les pouces dans ma direction.

Pendant que l'écho de mes pas résonnait dans le couloir presque vide de l'école, j'éprouvai une sensation de déjà-vu, celle de déambuler dans le couloir d'une école différente, dépassant des étudiants qui me pointaient et me dévisageaient. J'entendais des murmures effrayés : « sorcière », « reine du vaudou », « fille de Satan », « monstre ». J'étais convoquée à comparaître devant un autre directeur, le conseil scolaire et un comité de « parents inquiets ». Je lisais une pétition, mais j'étais incapable d'en poursuivre la lecture parce que mes yeux s'étaient remplis de larmes. Ma mère arrivait au son de ses talons qui cliquetaient, puis quittait les lieux en claquant la porte. Sa fureur et sa honte étaient dirigées vers moi alors que nous nous éloignions en voiture pour ne jamais revenir dans ces lieux.

Je pénétrai dans le bureau.

— Le directeur veut me voir ? demandai-je à la secrétaire.

— Es-tu Sabine Rose ? s'enquit la dame en levant les yeux de son ordinateur.

— Oui.

La secrétaire barra mon nom au stylo noir sur une liste tapée à la machine.

— Entre, s'il te plaît. Il t'attend.

J'avançai vers la porte du directeur et tournai la poignée.

— Bonjour, Mademoiselle Rose, dit Dunlap d'un ton jovial en m'accueillant.

Il n'avait pas le genre d'un directeur d'école typique. Il était surnommé « le cowboy » parce qu'il portait des jeans et des bottes western plutôt que le traditionnel veston-cravate. Une boucle de ceinture dorée, arborant la silhouette d'un bronco, brilla lorsqu'il se leva pour me présenter un homme à forte carrure, portant l'uniforme, qui était assis un peu à l'écart.

— Laissez-moi vous présenter à l'agent Peters. Il aimerait vous poser quelques questions.

— À quel sujet ? demandai-je, en ayant bien peur de déjà connaître la réponse.

— Le saccage de dimanche dernier et l'attaque contre monsieur Watkins.

« Ah, ça », pensai-je avec nervosité.

— Il n'y a aucune raison de vous inquiéter, ajouta le directeur. Ce sont seulement des questions de routine. Êtes-vous à l'aise avec ça ?

— Je… je crois que oui.

L'agent Peters me fit signe de m'asseoir en face de lui. Il prit un crayon et un cahier de notes.

— Où étiez-vous dimanche soir aux environs de neuf heures trente ?

— À la maison d'une amie. Mais, en quoi cela concerne-t-il…

— Jillian Grossmer, m'interrompit-il d'un ton sec, 1396, avenue Sapphire. Vous assistiez à une réunion des pom-pom girls, n'est-ce pas ?

— Oui.

Dunlap martela son bureau des doigts.

— Mais vous ne faites pas partie des pom-pom girls, me fit-il remarquer.

— Ce sont mes amies. Alors, je passe du temps avec elles.

Je serrai les mains ensemble, baissant les yeux vers mes doigts, en me remémorant les traces de peinture laissées sur place.

— Mademoiselle Grossmer a confirmé cette déclaration, affirma l'agent Peters en relisant ses notes. Elle a aussi dit que vous étiez partie tôt.

— Oui.

— Avez-vous marché jusqu'à la maison ?

— Oui. Ce n'est pas très loin.

L'agent jeta un nouveau coup d'œil à ses notes.

— Vous demeurez avec votre grand-mère. Au 29, route Lilac ?

— Oui… oui.

Mon cœur s'affola et j'espérai que l'enquêteur ne puisse lire dans mon esprit. Or, j'étais trop nerveuse pour connaître mes propres pensées, et encore moins comprendre celles de quelqu'un d'autre.

L'agent Peters se leva prestement et s'étira pour prendre quelque chose derrière lui. Je pris alors une grande respiration ; je m'attendais à ce qu'il saisisse ses menottes et qu'il me lise mes droits. Cependant, tout ce qu'il tenait devant lui, c'était une photographie.

— Dimanche, en marchant vers votre maison, auriez-vous par hasard aperçu l'un de ces individus ?

C'était une photo d'un groupe de sportifs de l'école rivale. Soulagée, je répondis avec franchise.

— Non.

— Connaissez-vous l'un ou l'autre de ces jeunes hommes ?

Je secouai la tête en guise de réponse.

— Mais vous savez qui ils sont ?

— Qui ne le sait pas ? Notre équipe de football les a massacrés trente-deux à sept.

— En rentrant à pied à la maison hier soir, avez-vous remarqué quelqu'un de suspect qui entrait dans l'école ou qui en sortait ?

— Non. Absolument personne.

Je fus ensuite libérée.

* * *

À midi, tout le monde parlait encore du vandalisme. Il s'avéra que beaucoup d'étudiants avaient été interrogés, non seulement moi. Je n'étais même pas un des suspects. Du moins, pas encore.

Pendant mon cours de journalisme, j'attirai Manny à l'écart.

— As-tu trouvé quelque chose ? lui demandai-je avec anxiété.

— Je travaille là-dessus. J'ai une petite idée des gens qui pourraient être impliqués.

— Qui ?

— Je ne peux pas t'en parler ici, répondit Manny en regardant autour de nous. Rencontre-moi à la bibliothèque après l'école. J'ai une surprise pour toi.

— De nouvelles informations ?

— Encore mieux, lança mon ami en esquissant un sourire malicieux. Sois prête à subir un choc.

Une image de pétales de fleurs rouge rubis avec de longues tiges épineuses surgit dans mon esprit et je sentis l'odeur des roses. « Qu'est-ce que les roses ont à voir là-dedans ? » pensai-je.

Manny agita un doigt devant mon visage.

— Pas question d'utiliser tes pouvoirs magiques sur moi.

— Je ne le faisais pas ! Quelquefois, des visions apparaissent subitement dans ma tête.

— Essaie d'imaginer la gloire et la fortune dans mon avenir, me taquina le garçon.

Quelqu'un cria son nom et Manny partit.

Pendant le cours, je pensais aux roses. Était-ce un indice ? Les vandales demeuraient-ils près d'une roseraie ? Ces roses avaient-elles quelque chose à voir avec mon nom de famille ? Non, cette vision ne me disait rien ; il n'y avait aucun lien avec moi.

Lorsque la dernière cloche sonna, je me ruai vers mon casier, laissai tomber les livres dont je n'avais pas besoin pour mes devoirs et me rendis directement à la bibliothèque.

Lorsque je vis Manny, je fis presque demi-tour parce qu'il n'était pas seul. Il était en grande conversation avec une gothique que j'avais aperçue à quelques reprises à l'école et dont l'allure dramatique clamait : « Je suis bizarre et fière de l'être. » Ses cheveux noirs et lisses chatoyaient d'étincelles dorées et ses yeux étaient ombrés de khôl noir comme de l'encre. Ses doigts fins étaient couverts de bagues de pacotille, des anneaux en or ornaient ses sourcils percés et un collier métallique pour chien encerclait son cou.

Je me cachai rapidement dans un coin, curieuse. Manny faisait-il partie de la bande des gothiques ? Je ne le croyais pas. Ce que je savais de lui m'indiquait qu'il bannissait résolument tous les groupes, qu'il préférait créer un style unique. Alors, peut-être que cette fille avait des informations à propos des actes de vandalisme.

— Hé, Manny, dis-je en faisant un pas en avant.

— Te voilà, me salua Manny d'un signe de la main.

— On t'attendait.

— Ainsi, tu es Sabine.

La fille m'observa, ses yeux gris plissés, le regard inquisiteur.

— Manny me parlait justement de toi.

— Ah ?

Je jetai un regard d'avertissement en direction de Manny.

— Ouais, par exemple la façon dont tu l'aides pour la réalisation de l'*Écho de Sheridan*, précisa la gothique.

Elle me dévisagea sans relâche pendant quelques instants, comme si elle prenait ma mesure.

— Est-ce que c'est ta couleur naturelle de cheveux ?

Je hochai la tête pour acquiescer. Manny ne faisait que nous regarder toutes les deux, un léger sourire sur les lèvres.

— Cette mèche noire est hallucinante, ajouta la fille. Avec quelques mèches rouges…

— Merci, mais j'aime mes cheveux tels qu'ils sont, déclarai-je, ayant l'air vache sans en avoir eu l'intention.

— À ta guise.

La gothique leva les yeux vers le ciel et se tourna vers Manny.

— Écoute Manny, je dois partir.

— Pas encore, s'exclama Manny en lui attrapant le bras.

— Je devrais être celle qui part, dis-je, mal à l'aise.

— Aucune de vous deux ne va nulle part, insista le garçon. Pas avant que je vous dise quelle est ma surprise ou plutôt que je vous la présente.

— Elle ? Ta surprise est une personne ?

— Ouais.

Manny fit un large mouvement du bras vers la gothique.

— Sabine, je te présente Thorn[1], ta nouvelle partenaire.

---

1. Thorn signifie « épine » en français.

15

— Je n'ai pas besoin de partenaire, et je n'en veux pas.

« Encore moins, elle », ajoutai-je presque.

— Il va me pousser des cheveux gris si je copine avec elle, déclara Thorn, qui leva ses sourcils percés en me regardant. Manny, je t'ai dit que ça ne fonctionnerait pas.

— Donnez-vous une chance, les filles, ordonna fermement Manny. Vous avez beaucoup plus en commun que vous le croyez.

— Pas question ! nous exclamâmes simultanément, Thorn et moi.

Surprises, nous nous dévisageâmes avant de détourner rapidement le regard.

— Vous voyez ? Vous êtes presque des jumelles et vous venez à peine de faire connaissance.

Manny éclata de rire.

— À présent, taisez-vous pendant une minute et discutons affaires, poursuivit-il.

— Quelles affaires ? demandai-je avec prudence.

— Enquêter sur le vandalisme, mais pas de la façon habituelle.

Le garçon regarda autour de nous, alors que quelques jeunes nous dépassaient en marchant, puis il baissa la voix.

— En utilisant tes talents, Sabine.

— Tu m'as promis de ne pas le raconter ! lui dis-je en le fixant avec colère.

— Je n'ai rien dit. Pourtant, je sais que tu voudras en parler lorsque tu constateras ce que Thorn peut faire. Elle a un don étonnant. Tu en seras renversée.

— J'ai de sérieux doutes là-dessus, fis-je.

Thorn releva le coin de ses lèvres violettes en un petit sourire satisfait, comme si elle était au courant de quelque chose que je ne savais pas.

— Ce sera amusant de te voir ravaler tes paroles, lança-t-elle.

— Pas autant que de te regarder échouer, répliquai-je.

Je levai le menton en signe de défi.

— Vas-y, essaie de me stupéfier.

— Ce sera facile, répondit Thorn en souriant. Ce que je fais s'appelle de la psychométrie. Ça signifie que je peux trouver…

— Je sais ce que ça veut dire, l'interrompis-je. La capacité de ressentir des choses par le toucher.

— Pas mal ! La plupart des gens n'ont jamais entendu parler de ça, avoua-t-elle en me toisant d'un regard prudent. En tout cas, je suis capable de ressentir des choses par le toucher depuis que je suis toute petite. J'avais l'habitude de le faire pour le plaisir ou pour embêter les gens. C'est aussi un excellent truc à faire au cours d'une fête.

— Si tu le dis.

Je haussai les épaules, ne croyant pas un seul instant aux pouvoirs de cette fille. Si

Thorn était voyante, je mangerais mon sac à dos.

— Juste pour que les choses soient claires, je fais ça seulement pour Manny car c'est un véritable ami, précisa-t-elle en secouant la tête.

Puis, elle prit un ton très froid.

— Tu as cinq minutes pour cacher un objet, poursuivit-elle.

— Comme quoi ?

— Tes cinq minutes commencent maintenant, m'annonça Thorn en regardant une de ses bagues qui faisait aussi fonction de montre minuscule. Lorsque ce sera fait, tu reviendras ici.

Elle me fit signe de partir ; alors, je me précipitai dans le couloir. Je fis plusieurs détours pour l'embrouiller au cas où elle me suivrait. C'était un jeu stupide. Quant à moi, j'aurais marché vers la sortie de l'école et continué jusqu'à ce que j'arrive à la maison.

Je me rendis à l'extérieur dans un recoin gazonné de la cour d'école et fouillai dans mon sac à dos. Tout au fond, il y avait un objet de forme étrange en aluminium éraflé. C'était une vieille poignée d'épée. Elle avait été mon arme préférée à mon ancienne école et avait appartenu à mon professeur, qui me l'avait

offerte. Monsieur Landreth était la seule personne qui ne s'était pas détournée de moi
lorsque les choses avaient mal tourné. Il avait
cru en moi et en mon don. Je ne sais pour
quelle raison, mais j'avais gardé cette poignée
dans mon sac à dos ; je n'avais jamais voulu
l'en retirer et la ranger avec tous les autres
trucs d'escrime que je n'utilisais plus à présent.

Thorn ne serait jamais capable de la
trouver. Je regardai autour à la recherche d'un
endroit pour la cacher.

Me penchant pour dissimuler la poignée
sous un banc, j'eus une meilleure idée.
Quelques minutes plus tard, je retournai dans
la bibliothèque où Manny et Thorn atten-
daient sur un banc. Lorsqu'ils m'aperçurent,
ils se levèrent et se dirigèrent rapidement vers
moi.

— Alors ? s'informa Manny. Mission
accomplie ?

— Oui, l'objet est caché.

Je ne pouvais pas m'empêcher de sourire.
Thorn ne trouverait jamais la poignée. Je n'arrivais pas à comprendre comment elle avait
fait pour duper un gars aussi intelligent que
Manny, mais jamais elle ne pourrait me
berner.

— Laisse-moi toucher la main qui a tenu l'objet manquant, dit Thorn.

J'hésitai durant un moment.

— Ne t'inquiète pas, me rassura Thorn, je ne te *contaminerai* pas.

— Tu ne m'inquiètes pas, rétorquai-je.

— En es-tu sûre ?

J'ignorai son rire et lui tendis ma main droite avec audace.

Elle traça les lignes de ma main avec ses doigts, ses cheveux noirs tombant vers l'avant et chatouillant mon bras.

— Tu as caché quelque chose de petit, de forme bizarre.

— Eh bien, ça limite le choix.

— Cet objet est très important pour toi.

Surprise, j'essayai de garder une expression neutre.

— Ouais, affirmai-je.

— Tu vois, je t'avais dit qu'elle était épatante, cria Manny en souriant à pleines dents.

— Allons, c'est facile à deviner, lançai-je.

Cette fille ne pouvait avoir un tel don. J'essayai de me draper dans mon scepticisme.

— Et puis, que veut-elle dire par « important pour moi » ? poursuivis-je. On croirait entendre Manny, le voyant, en train de lire le message contenu dans un biscuit chinois.

— Peu importe, Sabine, répliqua Manny. Thorn connaît son affaire.

— Alors, elle devrait être capable de trouver l'objet.

« Impossible, songeai-je en me délectant secrètement à cette pensée. Thorn pouvait fouiller toute l'école, elle n'arriverait pas à deviner ma cachette.

Après s'être engagée dans le couloir, elle se tourna vers moi en secouant ses cheveux foncés.

— J'ai une envie étrange de regarder dans un lavabo, dit-elle soudain. Il y a quelque chose dans le lavabo.

— Lavabo ? la questionnai-je. Tu es très loin du compte.

— Pas ton objet, précisa Thorn. Quelque chose d'autre qui a été perdu…

Sa voix s'éteignit lentement et elle se frotta le milieu du front.

— O.K., je commence à sentir les vibrations de l'objet, continua-t-elle. Il est en métal. Il est vieux, du moins très usé, et il se trouve quelque part où il fait sombre et chaud.

Je ne dis rien et me mis nonchalamment les mains derrière le dos.

— Que penses-tu du laboratoire scientifique ? tenta de deviner Manny.

— Non, répondit Thorn. L'article n'est pas dans une salle de classe ni à la cafétéria.

Je plissai les lèvres fortement et restai de marbre. Thorn me scrutait.

— Tu es allée à l'extérieur, mais tu ne l'as pas déposé là.

Je haussai simplement les épaules.

— C'est tout prêt, dit Thorn, faisant les cent pas autour de moi. Très près.

— Mais Sabine n'a pu dissimuler l'objet près d'ici sans que nous la voyions, fit remarquer Manny.

— À moins qu'elle ne l'ait caché avant de revenir.

Thorn fixa son regard sur mon sac à dos, que j'avais laissé tomber sur le sol. Elle marcha vers le sac, fit une pause et se retourna brusquement.

Elle se dirigea directement vers moi. Avant que j'aie pu dire quoi que ce soit, elle mit sa main dans la poche de mon chandail à capuchon en coton molletonné et en retira la poignée. Tout effort pour ne pas paraître impressionné était dorénavant inutile.

— Excellent ! s'exclama Manny en frappant l'air de son poing.

— As-tu jamais douté de moi ? demanda Thorn.

— Pas une seule seconde, affirma Manny. À présent, veux-tu bien me dire ce que c'est ?

J'ignorai la question de Manny et me tournai vers Thorn.

— Comment… comment as-tu…

Les mots ne me venaient plus.

— C'est juste un don bizarre, expliqua la gothique. Certaines personnes peuvent peindre ou jouer du piano. Moi, je peux trouver les choses.

Thorn me remit la poignée.

— Tu dois aussi faire des trucs étranges, sinon Manny ne désirerait pas que nous soyons partenaires.

— Partenaires, répétai-je, émerveillée.

Peut-être… peut-être le serions-nous et que Manny n'était pas totalement fou.

Cette fois, je regardai Thorn attentivement. Au-delà du maquillage à l'image de celui de Morticia[2] de multiples perçages et de lourdes chaînes, je vis dans ses yeux gris une grande honnêteté. Soudain, je compris très clairement que j'avais eu complètement tort à son sujet. Elle n'avait rien d'un imposteur.

Moi, oui.

2. Référence au personnage de Morticia Addams de la série américaine la famille Addams (The Addams Family).

Et je me souvins de ce qu'Opal m'avait annoncé à propos « d'accueillir un nouveau don bientôt ». Je pensais qu'elle parlait de *quelque chose*, non de *quelqu'un*. S'agissait-il de Thorn ?

Tu en as mis du temps, dit Opal. *Tes talents intuitifs se rouillent, certainement en raison du manque d'exercice. Mais il y a de l'espoir pour toi.*

Et, lorsque j'informai Thorn que j'étais une voyante, elle ne me traita pas de folle.

Elle me crut.

* * *

Quand, plus tard, je rentrai chez moi, Nona mettait la maison sens dessus dessous ; elle cherchait ses clés de voiture avec frénésie. Elle était convaincue de les avoir laissées dans son sac à main, mais elles n'y étaient pas. Elles n'étaient pas non plus dans aucune de ses autres cachettes habituelles ; ni dans le petit compartiment du fauteuil inclinable, ni dans la pointe de ses pantoufles, ni dans le réfrigérateur.

Une chose que Thorn avait dite me vint tout à coup à l'esprit.

Je me dirigeai droit vers le lavabo de la salle de bain.

Et je trouvai les clés de Nona.

16

DIX MINUTES PLUS TARD, NONA ÉTAIT PRÊTE À SE
rendre à un dîner avec un nouveau client et
elle me remercia encore une fois d'avoir
trouvé ses clés.

— Contente d'avoir pu t'aider, dis-je du
divan où j'étais assise en train de tresser mes
cheveux.

— Si tu as faim, il reste du riz dans le réfrigérateur.

— Merci, mais je n'en aurai pas besoin. Josh m'a invitée à sortir ce soir.

— Ah oui. Tu as un rendez-vous. Je me souviens maintenant.

Nona baissa les yeux vers ses clés, puis sourit timidement.

— J'imagine que j'ai trop de choses en tête, expliqua-t-elle. Je vous souhaite du plaisir, à toi et à Josh, mais c'est un soir d'école. Ne rentre pas trop tard.

— Non, promis-je en l'étreignant.

Puis, Nona se hâta vers sa voiture et Josh arriva quelques minutes plus tard.

À l'école, lorsque nous avions parlé de sortir, Josh s'était montré très mystérieux et n'avait pas voulu me dire ce qu'il planifiait. Il m'avait simplement demandé d'enfiler des vêtements de plein air. En bouclant ma ceinture de sécurité dans sa voiture, j'ouvris la conversation par une question qui me tenaillait.

— Où allons-nous ?

— Curieuse ? me taquina Josh, le gravier crissant sous les pneus au moment où il descendait l'allée de la maison.

— Un peu.

— Juste un peu ?

— Hum… plus qu'un peu. Dis-le-moi, allez. Allons-nous jouer au tennis, au volley-ball ou au mini-golf ?

— Non.

Josh se mit à rire. Dans ces moments-là, j'adorais la façon dont les fossettes se formaient aux coins de sa bouche.

— As-tu déjà lancé un frisbee ? me demanda-t-il.

— Bien sûr.

— Bien.

— C'est ça, le grand mystère ? demandai-je, un peu déçue. Jouer au frisbee ?

— C'est la personne avec laquelle tu joues qui est importante.

— Pourquoi ai-je le sentiment que tu ne me dis pas tout ?

— Tu dois être voyante, j'imagine, répondit-il dans un éclat de rire.

Je rougis et détournai rapidement le regard vers la vitre de portière. Josh ne sembla pas noter que je ne riais pas avec lui et il tendit la main sur le siège pour prendre la mienne. Je la serrai avec force, me rappelant que c'est ce que je souhaitais, être une fille normale ayant un rendez-vous avec un beau garçon des plus populaires. Ce n'était pas important que Josh ne connaisse pas tous mes secrets ; en fait, c'est ce que je désirais.

— Si ça te va, continua-t-il, nous allons nous arrêter dans une épicerie fine pour prendre des sandwichs et nous rendre au parc.

— D'accord ! m'exclamai-je avec un peu trop d'enthousiasme. N'est-ce pas un peu tard dans la journée pour un pique-nique ?

— Il nous reste à peu près deux heures de clarté.

— O.K. Un pique-nique me semble parfait.

Je regardai Josh avec suspicion, certaine qu'il avait plus à faire dans le parc que de jouer une simple partie de frisbee. Je le saurais bien assez tôt.

Il inséra un CD et monta le son de la musique. Après un court arrêt à l'épicerie fine, plutôt que de se diriger vers le parc près de l'école secondaire, il tourna dans un quartier huppé.

— N'est-ce pas ton quartier ici ? demandai-je, perplexe.

— Ouais. Je dois passer prendre une surprise chez moi. Tu vas l'adorer.

— L'adorer ? répétai-je de manière incertaine, espérant qu'il ne s'agissait pas d'un autre rendez-vous à quatre. Quelqu'un vient avec nous ?

— Pas tout à fait quelqu'un, répondit Josh en esquissant un large sourire. Cheval.

— Ah ! Ton chien !

— Ouais. Il est à peu près temps que vous fassiez connaissance.

— Super surprise. J'adore les chiens.

— Puisqu'il fait presque trois fois la grandeur des autres toutous, il y en a plus à aimer.

Josh sortit de la voiture, puis se tourna vers moi.

— Attends ici, fit-il simplement. Je reviens dans une seconde.

Je le regardai contourner le côté de la maison et disparaître derrière une grille. J'entendis des jappements excités et me souris à moi-même en m'imaginant que Josh était accueilli à grands coups de langue mouillée. Quand la grille s'ouvrit quelques minutes plus tard, Josh tentait de tenir une laisse attachée à un énorme animal qui ressemblait à un croisement entre un golden retriever et un éléphant. Josh n'avait fait que quelques mètres lorsque quelqu'un appela son nom.

Me tournant de côté sur mon siège, je vis Evan Marshall qui arrivait de la maison voisine. Je me penchai pour m'approcher de ma vitre, qui était déjà baissée.

— Hé ! Evan, s'écria Josh, en tirant fortement sur la laisse.

Il serait sûrement tombé si Evan ne s'était pas précipité vers lui pour le retenir.

— Merci.

— Pas de problèmes ! retourna Evan en assénant à son copain une claque sur l'épaule. Alors, où étais-tu dernièrement ? Je ne t'ai pas vu beaucoup dans les parages.

— J'étais occupé, j'imagine, répondit Josh en haussant les épaules. Comment se fait-il que tu ne sois pas à la pratique ?

— Elle est annulée parce que l'entraîneur avait un rendez-vous chez le dentiste. Mais tout est super.

Le visage d'Evan s'illumina.

— Écoute ça, un dépisteur du collégial sera à notre prochaine partie de football. Donc, on travaille d'arrache-pied. Si je parvenais à me faire remarquer si tôt dans ma carrière, ce serait gigantesque.

— C'est extra, mec ! Bonne chance.

— Merci. Où allez-vous, toi et Cheval ?

— Au parc.

— Génial. Je n'ai rien d'autre à faire. Alors, je vous accompagne. As-tu amené le frisbee favori de Cheval ? Je suis toujours épaté lorsqu'il saute quelque trois mètres pour l'attraper. C'est le meilleur des chiens.

— Ouais, ça l'est. Mais il se trouve que…

Josh, mal à l'aise, jeta un œil vers la voiture.

Evan m'aperçut et il cessa brusquement de sourire.

— Ah, je vois ! fit-il simplement.

Cependant, les épaules lui tombèrent comme s'il venait tout juste de perdre une partie importante et j'eus presque pitié de lui.

— Tu peux toujours… commença Josh.

— Non, dit Evan en fronçant les sourcils et en secouant la tête. Tu n'as pas besoin de chaperon.

— Mais on veut que tu viennes. On peut te faire une place dans la voiture.

— Ne te donne pas cette peine. J'ai des tas de choses à faire.

Puis, avant que Josh n'ait pu réagir, Evan se détourna et marcha à grands pas vers sa maison.

— Je suis désolée pour ça, dis-je à Josh après que Cheval se fut installé sur le siège arrière.

— Aucune inquiétude à y avoir.

— Je ne voulais pas causer de problèmes entre toi et Evan.

— Ce n'était pas ta faute, m'affirma Josh avec désinvolture, mais la ride sur son front montrait qu'il était inquiet.

— Evan croit le contraire.

— Il est tantôt enthousiaste, tantôt indifférent. Il s'en remettra.

— Je pense qu'il n'a pas une bonne opinion de moi.

— Comment pourrait-il ? Tu es parfaite.

J'eus un rire sarcastique.

— Tu n'as aucune idée à quel point je suis loin d'être parfaite.

— La façon correcte d'accepter un compliment est de dire « merci ».

— Merci, répétai-je en souriant.

— Tu vois, même Cheval est d'accord avec moi, affirma Josh après que le chien assis sur le siège arrière eût émis un jappement sec. Alors, ne t'en fais pas à propos d'Evan. Il ira bien.

Quand même, j'étais inquiète ; il m'importait qu'Evan m'aime. Pour être franche, je ne le trouvais pas très sympathique et j'aurais été très heureuse de ne jamais le revoir. Mais je m'intéressais à Josh et je savais que son amitié avec Evan lui tenait à cœur. Grandir ensemble et vivre le deuil du frère de Josh avaient tissé un lien profond entre eux. Si Evan continuait d'avoir de la rancœur envers moi, ça pourrait entraîner de sérieuses difficultés.

Et je me demandais…

Si Josh devait en arriver à faire un choix entre Evan et moi, lequel de nous remporterait la palme ?

5

17

LE LENDEMAIN MATIN, JE DÉCOUVRIS QUE JOSH n'était pas le seul à se poser des questions à propos de l'amitié. Lorsque je partis pour l'école, Penny-Love m'attendait près de la boîte aux lettres de Nona. Je pouvais voir à la façon dont elle se tenait qu'il se passait quelque chose ; elle avait les mains sur les hanches et faisait la moue.

— J'ai un aveu à te faire, dit-elle sans détour.

— À quel sujet ?

— À propos de mes sentiments, ceux que tu n'as pas remarqués, m'accusa-t-elle. Depuis que tu fréquentes Josh, tu m'as délaissée. Nous sommes censées être les meilleures amies du monde.

— Nous le sommes !

— Alors, comment se fait-il que tu sois soudainement si occupée ? J'ai dû me lever tôt juste pour te rencontrer ce matin et tu n'es pas venue chez moi depuis une semaine. Quand tu n'es pas avec Josh, tu lui parles au téléphone.

— Bien, nous sommes *ensemble*. De son côté, Josh ne passe pas beaucoup de temps avec ses amis lui non plus.

— Il n'est pas uniquement question de Josh. Tu es toujours prise par le travail au journal aussi.

— Je suis allée à votre réunion de pompom girls, rappelai-je à mon amie.

— Une réunion que tu as quittée tôt et à toute vitesse sans me dire pourquoi, me fit-elle remarquer.

— Je suis désolée, lui confessai-je en lui serrant la main. Je ne savais pas ce que tu ressentais.

— Maintenant, tu le sais. Alors, ne me mets plus à l'écart dorénavant. Et il y a autre chose.

Penny-Love s'écarta afin de laisser passer un trio d'enfants de l'école primaire. Une fois que les gamines furent hors de vue, elle baissa la voix.

— Je dois te demander quelque chose, même si ça peut te paraître dingue.

— Dingue ?

Je sentis mon cœur bondir. J'étais inquiète à l'idée que Penny-Love ait découvert mon secret. À mon ancienne école, j'avais une amie, Brianne, et les gens croyaient que nous étions sœurs parce que nous étions toujours ensemble — jusqu'à ce qu'elle apprenne tout à mon sujet. Je ne sais pas si elle avait peur de moi ou si elle était amère parce que je lui avais caché la vérité. Lorsque je regardai la pétition visant à m'expulser de l'école, je vis que son nom figurait sur la première page.

— Tu vas rire lorsque je te le dirai, affirma Penny-Love. Une des choses que j'admire le plus chez toi, c'est ton attitude décontractée. J'ai mes moments dramatiques, ce qui n'est jamais ton cas. Tu es la personne la plus normale que je connaisse. Alors, je suis certaine que la rumeur est totalement fausse.

— Quelle rumeur ? réussis-je à dire en souriant comme si la chose m'amusait.

— Une amie de Jill t'a vue traîner avec une gothique hier. J'ai dit à Jill que son amie se trompait, qu'il devait s'agir de quelqu'un d'autre parce que, même morte, tu ne voudrais pas être vue avec l'une de ces perdantes.

— Eh bien... répliquai-je en hésitant. Thorn n'est pas une perdante.

— Es-tu *sérieuse* ? Tu es trop occupée pour moi, mais tu trouves du temps pour une personne appelée *Thorn* ?

— Je la connais à peine. Elle m'aide à réaliser un... un projet.

— Quel projet ?

— Au journal. C'était l'idée de Manny.

— Ainsi, c'est l'œuvre de Manny. Cette Thorn est-elle sa petite amie du moment ?

— Non, elle n'est qu'une de ses copines.

— Aussi longtemps qu'elle ne deviendra pas ton amie, reprit Penny-Love.

Puis, elle ramassa son sac à dos et nous nous mîmes en marche.

— Tu m'as inquiétée pendant une seconde. J'avais peur que tu sois passée du côté obscur.

— Jamais.

Je détournai le regard d'un air coupable. Peut-être aurai-je dû dire quelque chose de plus pour défendre Thorn, mais je ne voulais pas faire de peine à Penny-Love, qui était déjà très émotive à propos de notre amitié. Alors, je calmai le jeu en l'invitant chez moi pour la soirée.

— Super ! Je suis intriguée par le gars que ta grand-mère a embauché. Si c'est le type canon que j'ai aperçu dans le pâturage en venant ici, je dois le rencontrer.

— Ce n'est pas une bonne idée. Dominic est grossier et totalement antisocial.

— Oh ! un défi ! lança Penny-Love en se frottant les mains ensemble. Il n'y a rien que j'aime davantage, particulièrement si le gars est beau.

— Tu ne courras qu'à ta perte. Dominic n'est pas ton genre.

Penny-Love ne discuta pas, mais l'étincelle qui jaillit de ses yeux m'inquiéta.

* * *

Le reste de la journée d'école, je me sentis comme une jongleuse de cirque, sauf que plutôt que de m'amuser avec des balles, je jonglais avec les gens. Je glissais de petits mots à Penny-Love dans la classe, j'admirais les derniers tours de magie de Josh et j'écoutais mes professeurs afin de ne pas manquer un seul des devoirs à faire. J'arborais un sourire en permanence, cachant toujours une partie de moi. C'était particulièrement difficile avec Josh car, lorsqu'il me regardait avec douceur et insistance, j'avais envie de tout lui avouer. Je n'osais pourtant pas.

Au moins, il n'y avait aucun secret avec Manny, qui me taquinait toujours en me disant que j'étais son « miracle ». Après avoir jeté un coup d'œil autour de la classe pour s'assurer que personne ne nous observait, il me remit un article provenant de son dossier « À éditer » et je fis semblant de travailler pendant qu'il me mettait au courant des dernières nouvelles.

— J'ai trouvé par mégarde une note du service de police adressée au directeur.

— Par mégarde ? ne pus-je m'empêcher de répliquer en faisant un grand sourire. Où ? Dans ses poches ?

— Sur son bureau.

— Comment as-tu réussi à faire ça sans te faire prendre ?

— Un journaliste ne peut pas divulguer ses secrets professionnels, me confia Manny avec un petit sourire plein de satisfaction au coin des lèvres.

— Alors, qu'as-tu appris ?

Je m'emparai d'un stylo rouge et corrigeai un mot incorrectement épelé dans l'article.

— Les joueurs de football de Regis High sont disculpés car, ce soir-là, ils faisaient la fête et il y a un tas de témoins à cet effet. Le concierge est sorti de l'hôpital, mais il n'a aucun souvenir de l'agression. Les policiers ont fait le tour des prêteurs sur gages pour vérifier s'ils détenaient les objets manquants, mais en vain. Ils ont aussi reçu un tuyau anonyme les informant que les articles volés étaient toujours à l'école.

— Un tuyau anonyme ? répétai-je, frissonnant malgré le soleil qui brillait à travers les fenêtres de la classe. Je me demande qui a pu téléphoner.

— J'espérais que tu pourrais me l'apprendre.

— Ce n'est pas si facile, dis-je en secouant la tête.

— Bon, si quelque chose te vient, dis-le-moi. La récupération des objets manquants ferait un excellent article.

Manny se pencha vers moi.

— C'est la raison pour laquelle nous fouillerons l'école ce soir, me murmura-t-il à l'oreille.

— *Nous* ferons quoi ?

— Ouais, nous le ferons avant que quelqu'un d'autre ne le fasse. Thorn est d'accord avec le plan et nous allons nous rencontrer dans le stationnement du restaurant Taco Bell à vingt-deux heures. Es-tu partante ?

— Bien sûr. Tant que je ne fais rien d'illégal.

— Ce n'est qu'un petit délit. Et personne ne le saura.

— Tu en es certain ?

— Fais-moi confiance.

Ce n'était pas des mots trop encourageants, mais il valait mieux agir qu'attendre à ne rien faire. Je hochai donc la tête et espérai ne pas me diriger tout droit vers les ennuis.

* * *

Qu'est-ce que ma grand-mère fabriquait sur la véranda avec un pinceau et une vache ?

Alors que j'approchais de la maison, je me frottais les yeux pour être certaine que je n'étais pas victime d'hallucinations. Les cheveux blond-gris de Nona étaient enveloppés dans un foulard et son t-shirt gris trop grand arrivait à quelques centimètres du sol alors elle s'accroupissait sur un petit tabouret pour peindre des fleurs bleues, roses et jaunes sur sa vache Daphnée.

Je me devais de lui posai la question, même si je n'étais pas sûre de vouloir entendre la réponse.

— Nona, que se passe-t-il ?

— Je peins.

— Sur une vache ? Ne peux-tu pas utiliser une toile, comme les gens normaux ?

— La plupart des gens ne sont pas aussi sensibles aux besoins de leurs animaux domestiques que je le suis, affirma Nona en caressant la tête rousse de Daphnée. La pauvre chérie se trouvait moche à côté de Stormy ; alors, je lui offre une métamorphose complète.

— Mais Stormy est un cheval.

— *Chut* ! me dit Nona en m'adressant un regard chargé de reproches. Daphnée a assez de problèmes d'estime de soi à régler comme ça. Dominic m'a tout expliqué. Il est très renseigné à propos des animaux.

— Il t'a dit de peindre des fleurs sur une vache ?

— Bien sûr que non, répondit Nona en éclatant de rire. Il a suggéré que je tresse des rubans dans sa queue. Les fleurs étaient mon idée. Et j'utilise de la peinture lavable naturelle à laquelle j'ai mélangé des vitamines et un adoucissant pour la peau. Ma propre création.

— C'est une vache, pas un top modèle. De plus, Penny-Love sera ici dans une minute. Comment vais-je lui expliquer la présence de cette vache à fleurs ?

— Dis-lui que c'est la toute dernière mode en art contemporain.

J'ouvris les bras grand en signe d'exaspération.

— Pourquoi ne peux-tu pas être une grand-mère ordinaire qui travaille dans son jardin et qui cuisine des biscuits maison ?

— Il y a une assiette remplie de biscuits aux brisures de caroube et aux asperges dans la cuisine. Sers-toi.

— Quelqu'un a besoin d'aide, marmonnai-je.

Daphnée se tourna vers moi en meuglant ; j'eus l'impression qu'elle me rappelait à l'ordre.

Étonnamment, lorsque Penny-Love arriva, elle ne remarqua même pas la vache. Cependant, aucun muscle du corps ferme et bronzé de Dominic ne lui échappa.

— Il est tellement séduisant ! s'exclama-t-elle.

Penny-Love pressait son visage contre la fenêtre de ma chambre mansardée et regardait Dominic pendant qu'il réparait une planche brisée de la clôture.

— As-tu des jumelles ?

— Non.

Je tirai mon amie par le bras.

— Quitte la fenêtre et je vais t'aider à faire tes devoirs.

— Il essuie la sueur sur son front. Maintenant, il recommence à clouer. Oups ! Il a laissé tomber un clou et il s'étire pour en prendre un autre. Merci à toi, force de la gravité !

— Pen, arrête ça.

— Il dit quelque chose à cet oiseau sauvage perché sur un poteau de la clôture.

— Dominic l'appelle Dagger, ce faucon.

— C'est si adorable ! J'adore les gars qui aiment les bêtes car ça démontre une profonde sensibilité. À présent, il caresse le faucon. Quel animal fantastique.

— Le faucon ou Dominic ? ne pus-je m'empêcher de demander. Et pourquoi toutes ces histoires à propos de Dominic ?

D'accord, il était beau si vous aimiez le genre viril et en sueur. Par contre, il était aussi énervant et arrogant. Pourquoi Nona n'avait-elle pas choisi de guider quelqu'un de plus civilisé, par exemple Josh ?

— Regarde ! dit Penny-Love, le nez collé contre la vitre de la fenêtre. Il enlève son chandail. Pitié ! Quels abdominaux fantastiques ! C'est le paradis ! Il est en bien meilleure forme que mon dernier petit ami. Sortons et allons lui parler.

— Je ne veux rien savoir de lui, dis-je en fermant mon livre de mathématique.

— Quiconque a une telle apparence ne peut pas être mauvais.

— Il est pire que mauvais et tu ne diras pas que je ne t'avais pas prévenue.

Penny-Love jeta un œil dans le miroir au-dessus de mon bureau et lissa ses cheveux roux frisés, puis sortit en vitesse de la pièce.

Je soupirai en m'étendant sur mon lit. Je tendis ensuite la main pour prendre une assiette remplie de biscuits aux pépites de caroube et aux asperges qui étaient fraîchement cuits et me rassasiai.

* * *

Comme je l'avais prédit, Dominic dit à peine deux mots à Penny avant de s'éloigner impoliment vers la grange. Ce comportement découragea-t-il mon amie folle-des-gars ? Pas du tout. Elle s'invita à souper et passa tout son temps à questionner Nona à propos de Dominic. D'où venait-il ? Quel genre de famille avait-il ? Avait-il une petite amie ?

— C'est un excellent employé, répondit vaguement Nona. Si tu veux en savoir plus, tu devras lui poser des questions.

Penny-Love eut beau s'attarder après le repas, en essuyant la vaisselle pendant que je la lavais, Dominic ne se montra pas. Nous finîmes nos devoirs, écoutâmes des CD et jouâmes à des jeux à l'ordinateur. Penny-Love regardait continuellement en direction de la porte et, moi, je surveillais attentivement l'horloge. À 21 h 30, j'étais totalement stressée. Comment pouvais-je dire à ma meilleure amie de partir afin que je puisse rencontrer Manny et Thorn ?

Heureusement, le téléphone cellulaire de Penny-Love sonna à 21 h 35. Je savais que c'était sa mère avant même qu'elle ne réponde. La voix de la femme résonnait fortement d'une grande colère.

— Pourquoi ne m'as-tu pas avertie que tu ne serais pas à la maison pour le souper ? entendis-je. Pourquoi ne m'as-tu pas dit où tu étais ? Je viens te chercher, maintenant !

Penny-Love, soumise, me dit au revoir et se hâta de partir. J'attendis jusqu'à ce que la voiture de sa mère se fût éloignée avant de revêtir des vêtements sombres et de trouver ma lampe de poche. J'informai Nona que je devais copier les notes de cours d'une amie. Je me glissai à l'extérieur et disparus dans la nuit.

18

NONA ME PRÊTA SA VOITURE ET JE PUS AINSI ME rendre rapidement au Taco Bell. Un filet de lune brillait à travers les arbres, amplifiant les ombres pour en faire des menaces plus redoutables. Je ressentais constamment un urgent besoin de scruter le paysage, comme si quelqu'un m'observait.

« C'est juste mon imagination », me dis-je afin de me rassurer. Ou ressentais-je la présence d'Opal ? Je me sentais toujours plus en sécurité lorsque ma guide spirituelle était à mes côtés. Je la voyais comme une sentinelle silencieuse qui veillait sur moi. Pourtant, quand j'essayai de communiquer avec elle, je n'obtins aucune réponse et mon malaise augmenta.

Lorsque j'arrivai au Taco Bell, je trouvai Manny et Thorn qui attentaient patiemment à côté d'une voiture familiale jaune tout amochée stationnée en face du commerce.

— Hey, Binnie.

Le grand sourire de Manny brillait dans le noir.

— Tu es venue.

Thorn avait l'air surprise, comme si elle s'était attendue à ce que je me dérobe.

— J'ai dit à ma grand-mère que j'allais rentrer tôt.

J'essuyai mes mains moites sur mon jean.

— Alors, j'espère que ça ne sera pas trop long, poursuivis-je. Quel est le plan ?

— C'est ce que nous essayons de déterminer, déclara Manny en sortant un papier plié de son imperméable. J'ai amené la liste complète des articles volés.

Oui, il portait un imperméable, exactement comme dans les films policiers de série B.

Illuminant sa feuille avec ma lampe de poche, je parcourus rapidement la liste dactylographiée.

— Quelques-unes de ces choses ont été prises par le concierge. Du moins, c'est ce qu'Opal m'a dit.

— Opal ? questionna Thorn en levant ses sourcils percés. Ah ! Ta guide spirituelle.

— Tout le monde a un guide, l'informai-je, en me tenant un peu sur la défensive.

À tout le moins, Thorn ne semblait pas me juger, probablement parce qu'elle savait ce que c'était que de l'être.

Le papier s'enroula pendant que Manny étudiait la liste.

— Monsieur Watkins a peut-être chipé quelques fournitures scolaires. Mais pourquoi aurait-il voulu d'un trophée de basket-ball gravé ou de la chaise du directeur adjoint ?

— Ce n'est pas étonnant que les sportifs de Regis aient été suspectés, fit remarquer Thorn, alors que nous marchions vers l'école. Ils ont déjà fait de mauvaises plaisanteries, par exemple mettre un requin en plastique dans la piscine et lui placer une fausse jambe humaine dans la bouche. L'équipe féminine de natation a certainement reçu un choc ce jour-là.

Manny ricana.

— Et la photo que j'ai prise a fait une première page extraordinaire pour l'*Écho*. Cependant, agresser le concierge ne constitue pas une mauvaise plaisanterie. De plus, les sportifs de Regis avaient un alibi.

— Les alibis peuvent être faux, dis-je au moment où nous traversions le stationnement de l'école.

— Alors, pourquoi téléphoner pour donner un tuyau anonyme ? demanda Manny.

— Pour activer les choses ? répondit Thorn.

— Ou encore diriger les soupçons vers quelqu'un d'autre, ajoutai-je.

Un étrange sentiment m'envahit. Je jetai un coup d'œil à l'édifice silencieux et au stationnement vide, mais je ne vis rien d'inhabituel.

— Peu importe, nous devons nous grouiller, annonça Manny.

Il tendit la liste à Thorn.

— Fais ce que tu as à faire.

Le papier miroita comme un petit fantôme dans le rayon de lumière de la lampe de poche de Thorn. La gothique le fixa avec une concentration féroce, et une énergie déferla autour d'elle pour former une aura rose, jaune et blanche qui était éblouissante. J'eus l'étrange impression que son âme s'envolait vers un autre lieu. Si j'avais eu des doutes à propos de ses capacités, je n'en avais plus.

Thorn était davantage une voyante qu'elle ne le pensait.

Je le sus lorsqu'elle revint à la normale. Elle cligna des yeux, désorientée, puis elle eut un petit frisson.

— Suivez-moi, ordonna-t-elle simplement.

Elle ne partit pas vers l'école, comme je m'y attendais, mais prit plutôt la direction opposée qui menait dans un boisé touffu derrière le bâtiment. Elle disparut avec Manny dans les arbres serrés, et je dus courir pour les rattraper. Mes pieds écrasaient les feuilles friables et les branches me fouettaient les bras. Je serrais fort ma lampe de poche, son petit faisceau de lumière ricochant sur les troncs et le sol inégal. Nous enjambâmes en toute hâte de longues herbes, contournâmes des roches, évitâmes des trous et nous enfonçâmes plus profondément dans les bois lugubres. Lorsque nous atteignîmes un épais mur recouvert d'arbres fruitiers qui bordait un ruisseau au fort débit d'eau, nous ne pûmes aller plus loin.

Thorn se défit d'une branche épineuse, mais cette dernière rebondit et la frappa.

— Stupides buissons ! s'écria-t-elle. Nous ne pouvons arrêter maintenant !

— Mais le sentier se termine ici, lui fit remarquer Manny. Il n'y a aucune façon de poursuivre notre route.

— Il doit y en avoir une, répliqua-t-elle avec force et détermination. Nous devons continuer.

— Ça prendrait une machette, et j'ai laissé la mienne dans le coffre de la voiture.

— Nous devons simplement trouver un autre sentier, déclara Thorn, qui de toute évidence était résolue à poursuivre son chemin. Je vais aller faire un tour vers la droite.

— O.K., fit Manny en hochant la tête. Moi, je vais vers la gauche.

— Hé les amis ! et moi ? demandai-je.

Trop tard, ils se dépêchaient déjà dans des directions différentes. Je remarquai que le rayon de la lumière de ma lampe de poche semblait faiblir. Des nuages cachaient la lune, et le ciel s'assombrissait de plus en plus. Je pensai avec nostalgie à mes veilleuses et à ma chambre douillette et sécuritaire. Pourquoi avais-je accepté de m'embarquer dans cette aventure ? Personne ne m'avait associée au vandalisme ; alors, je n'étais pas en danger. Or, si j'étais surprise ce soir, tout tomberait à l'eau.

J'attendis dans l'obscurité en tendant l'oreille attentivement pour entendre les sons émis par Thorn et Manny. Tout près, un buisson bruissa. Surprise, je fis un bond en arrière en laissant partir un cri. M'entourant de mes bras, j'éclairai un large cercle avec ma lampe de poche. La nuit fondait sur moi, des oiseaux battaient doucement des ailes, des grenouilles coassaient et un léger vent agitait les feuilles sèches. Le bruit se rapprocha et je serrai ma lampe de poche. Des branches se déplacèrent, des yeux dorés apparurent et une silhouette sombre et silencieuse se tenait devant moi, un oiseau perché sur son épaule.

— Dominic ! m'exclamai-je, au moment même où la silhouette s'évanouissait.

Elle était partie si rapidement ! Je restai sidérée, convaincue d'avoir tout imaginé.

— Sabine !

Les pas de Manny résonnèrent à travers le buisson alors que le garçon venait me rejoindre.

— Je t'ai entendue crier. Est-ce que ça va ?

— Je n'en suis pas certaine, répondis-je en avalant péniblement ma salive. Je pense que j'ai vu…

— Quoi ?

— Je n'en sais rien. Ça s'est passé si vite, je ne suis pas sûre de ce que j'ai vu. De toute façon, c'est parti maintenant.

— C'était probablement un raton laveur. Je gage qu'il a eu plus peur que toi.

— Tu perdrais ton pari.

Ma lampe de poche clignota, puis s'éteignit complètement.

— On dirait que tu as besoin de nouvelles piles, constata Manny en me tapotant l'épaule. Reste près de moi et tu ne t'égareras pas. Nous partirons dès que nous aurons retrouvé Thorn…

À ces mots, la voix de Thorn se fit entendre.

— Manny ! Sabine !

— Elle a trouvé quelque chose, cria Manny en me saisissant la main. Viens !

Nous découvrîmes Thorn accroupie sur le sol près d'un tas de buissons. Lorsque Manny fit briller sa lampe de poche sur l'amas, un objet étincela sous des branches mortes.

— C'est du métal, dis-je.

Manny retira quelques branches.

— La chaise du directeur adjoint !

— Mais, que fait-elle ici ? demanda Thorn.

— Très louche.

Des branches craquaient et cassaient sec pendant que Manny tirait la chaise d'un coup pour la sortir des branches.

— Pourquoi quelqu'un entrerait-il par effraction dans l'école et attaquerait-il le concierge pour traîner une telle chose très loin dans les bois ?

J'étais d'accord pour dire que c'était étrange, mais j'étais plus curieuse à propos des objets qui n'étaient pas là.

— Où sont les autres objets ?

— C'est la pièce manquante du casse-tête, constata Manny en secouant la tête. Je ne sais pas.

— Moi… moi je le sais, dit Thorn d'une voix bouleversée.

Elle toucha le collier à chien clouté autour de son cou et fixa son regard au loin avec une expression absente.

Puis, elle se retourna et se mit à courir vers l'école.

Sans hésitation, Manny et moi la suivîmes. Les grosses bottes de Thorn martelaient avec force le sol du bois. Je suivais Manny en lui tenant le bras pour ne pas me perdre. Au début, j'avais l'impression de courir dans un tunnel obscur, mais la forêt devint moins dense et nous en sortîmes ; nous filions maintenant à toute vitesse sur le terrain de sports gazonné, en passant devant les gradins qui s'élevaient tels des dragons endormis dans le noir. Thorn n'était plus qu'une vague silhouette devant nous. Elle sprintait sur le bitume, tourna un coin et s'arrêta devant une porte close.

— Nous devons entrer à l'intérieur, annonça-t-elle d'un ton qui traduisait l'urgence. Mais les portes sont fermées à clé.

— Je connais un moyen, déclara Manny. Tout ce que ça prend pour ouvrir une porte munie d'une serrure de ce type, c'est un dynamique coup de pied au bon endroit.

Une fois que nous fûmes à l'intérieur, une enjambée de Manny semblait équivaloir à deux des miennes, ce qui m'exténuait. Je me poussai à aller plus vite, haletant et devenant plus nerveuse à chaque pas. L'inquiétude résonnait dans ma tête. Qu'arriverait-il si l'assaillant du concierge revenait ? si le nouveau concierge nous surprenait ? si Nona était inquiète et qu'elle téléphonait au service de police ? si mes jambes me lâchaient et que je m'effondrais ?

Manny nous guida en empruntant une porte de côté de la cafétéria, puis Thorn se précipita devant nous. Manny se hâta derrière elle, la rattrapant alors qu'elle virait brusquement à droite au bout d'une rangée de casiers. Me sentant prise de vertige, je m'appuyai contre un mur jusqu'à ce que mes idées s'éclaircissent. L'inquiétante lueur de l'éclairage de sécurité faisait paraître le couloir à la fois familier et étranger.

Au moment où je tournais le coin, je vis Thorn fixer quelques casiers.

— Regarde, dit-elle à Manny.

— Pourquoi t'es-tu arrêtée ici ?

J'avais le cœur qui battait la chamade en raison de l'effort.

— Parce que les trucs manquants sont ici, affirma Thorn en pointant du doigt un casier. Le propriétaire de ce casier est notre voleur.

— Mais c'est impossible ! dis-je en essayant de reprendre mon souffle.

— Pourquoi ? demanda Manny.

— C'est le mien.

19

QUELQU'UN DE DANGEREUX EN VOULAIT À MA peau.

C'était la seule chose dont j'étais certaine. Malgré les efforts que je fis pour appeler un nom ou visualiser cette personne sans visage, je n'obtins rien. La crainte s'infiltra dans mon âme.

Thorn eut l'idée de retirer de mon casier le trophée de basketball et les autres trucs volés et de les cacher avec la chaise dans les bois. Manny accepta sur-le-champ. J'étais si touchée par l'intérêt qu'ils me portaient que je ne savais pas comment les remercier.

— Pas de problème, dit Manny avec son sourire espiègle. Je suis toujours heureux de transporter de la marchandise volée pour une amie.

Malgré toutes les autres choses malencontreuses qui auraient pu se produire, il ne se passa rien de plus. Le concierge remplaçant ne nous avait pas vus, bien que nous l'ayons aperçu en train de sommeiller dans le salon des professeurs. Il était presque minuit quand je revins à la maison.

Des lumières brillaient à l'intérieur, un signe que Nona était encore occupée à son ordinateur. Lorsqu'elle se rapprochait de l'idée de former un couple parfait, elle vivait dans une autre dimension. Si je l'interrompais, elle me regarderait comme si j'étais une étrangère. Elle s'était sentie si coupable après quelques échecs de ce genre que maintenant elle effectuait la grande partie de son travail tard le soir.

Un battement d'ailes attira mon regard vers le ciel. Dans l'éclat de la lumière de la véranda, je vis un oiseau solitaire qui volait très bas et silencieusement dans le pâturage. L'oiseau dessina des cercles au-dessus de la grange, puis descendit et disparut par une fenêtre ouverte du bâtiment. J'entendis des pas sur le gravier, ce qui me fit me retourner. Dans la faible lumière du poulailler, je pouvais voir une silhouette mince et musclée.

Je ne pouvais imaginer que Dominic m'ait suivie.

Plutôt que d'avoir peur, j'étais en colère. Il était déjà assez déplaisant qu'une personne en ait contre moi à l'école. Je n'avais pas à subir de telles conneries à la maison.

— Dominic ! criai-je. Tu es vraiment un imbécile !

Le garçon s'arrêta à côté de la grange et se retourna lentement vers moi.

Je le rejoignis à grandes enjambées en fulminant.

— Tu m'as suivie ce soir, l'accusai-je en lui enfonçant le doigt dans la poitrine. Ne le nie pas.

— Je ne le ferai plus, répondit-il.

Il me fit face. Ses yeux bleus étaient plissés et loin d'être amicaux.

— Pourquoi as-tu fait ça ? lui demandai-je.

— Pour aider.

— Aider ? répétai-je avec dédain en esquissant un petit sourire narquois. Comme si je croyais ça.

— Je me fous de ce que tu crois, déclara Dominic, dégoûté. J'avais tort à ton propos.

— Qu'est-ce que c'est censé vouloir dire ?

— Comment as-tu pu laisser tomber Nona de cette façon ? L'as-tu fait pour avoir des sensations fortes ? Pour te faire valoir auprès de tes amis ?

— Hein ? questionnai-je en plissant le front. Fait quoi ?

— Voler, cracha le garçon.

— Je n'ai rien volé !

— Tu avais ces choses dans ton casier, puis tu les as cachées dans les bois.

Ces mots me frappèrent de plein fouet.

— Ce n'est pas ce que tu penses, fis-je simplement.

— À quoi d'autre devrais-je penser ? me demanda Dominic. Je sais ce que j'ai vu.

Une grande tristesse lui voilait les yeux lorsqu'il me regardait. J'entendis Dagger crier du loft et Dominic pivota pour se diriger vers la grange.

— Attends ! m'exclamai-je.

Le garçon resta sur place un court moment.

— Pourquoi le devrais-je ?

— Parce que nous aimons tous les deux Nona. Je ne te dois pas d'explications, mais je vais t'en donner.

Je jetai un coup d'œil à la douce lumière qui brillait encore dans le cabinet de travail de ma grand-mère.

— Ne discutons pas ici.

— À l'intérieur alors, suggéra Dominic.

Il m'indiqua la grange.

Des meules de foin s'élevaient jusqu'au plafond sur la moitié du grand plancher de bois du bâtiment ; une vache meuglait dans l'une des stalles qui s'alignaient sur le mur opposé. Dominic se dirigea vers l'escalier et, au passage, alluma un plafonnier pour éclairer une longue série de marches à pic. Mon pouls s'accéléra alors que je grimpai ces dernières.

Le fait de me retrouver dans le loft privé de Dominic me donnait l'impression de mettre les pieds dans le camp ennemi. Je n'appréciais pas du tout ce garçon ; alors, ce qu'il pensait ne m'importait guère. Pourtant, je me sentis obligée de rétablir la vérité.

Mal à l'aise, je me tenais sur la vieille carpette tressée et Dagger s'envola pour se poser sur un poteau de bois près d'une fenêtre ouverte. Il n'y avait ni photos, ni livres, ni aucune autre babiole dans ce loft, à l'exception de quelques chandelles et cristaux placés sur un bureau. Il y avait peu d'objets qui décrivaient la personnalité de Dominic, comme si ce dernier s'était enfermé dans un lieu secret après avoir caché la clé qui y donnait accès.

— Fais ça vite, dit-il d'une voix sarcastique en imitant le ton hargneux que j'avais emprunté lorsqu'il était venu dans ma chambre quelques jours plus tôt.

— Quelqu'un a déposé ces choses dans mon casier. Je suis victime d'une machination.

— Pourquoi quelqu'un aurait-il fait ça ?

— Je n'en ai aucune idée, répondis-je en me laissant choir dans une chaise. J'aimerais le savoir.

— Ne peux-tu pas le découvrir ? demanda Dominic en tirant un tabouret pour s'asseoir devant moi. Avec tes pouvoirs ?

— Imagine-toi donc que j'ai essayé. Mais je ne réussis jamais à avoir des visions à mon sujet. C'est effrayant de savoir que quelqu'un me hait. Si c'était arrivé à mon ancienne école, j'aurais compris, mais les gens d'ici ne sont pas au courant de mes… capacités.

— En es-tu sûre ?

— J'en ai seulement parlé à Manny et à Thorn.

— Et tu leur fais confiance ?

— Ouais. Ils m'ont appuyée d'une façon extraordinaire ce soir.

Je regardai Dominic avec méfiance.

— Cependant, je ne suis pas certaine de toi, poursuivis-je. Comment savais-tu que j'étais à l'école ?

— Un ami me l'a dit.

— Qui ? Sûrement pas Penny-Love ?

Le garçon se détourna et fit quelques pas en direction du faucon.

— Est-ce quelqu'un que je connais ?

— Peut-être, mais pas tout à fait.

— Ça n'a pas de sens.

J'observai Dominic pour essayer de capter son aura, mais celle-ci arborait des couleurs aussi indéfinissables que celles de sa chambre. Je me concentrai sur son énergie.

La pièce disparut tranquillement et je me retrouvai soudain dehors sous la bruine, l'eau glaciale cinglant ma peau. Mon estomac me faisait mal ; il était complètement vide. La faim. Lorsque je baissai les yeux, je vis une chaîne attachée à une jambe. Non, pas à la mienne, à celle d'un jeune garçon squelettique qui portait un jean ensanglanté. La pluie fouettait son corps battu et fragile, et il se blottissait contre un tronc d'arbre. Un son d'angoisse profonde, plus animal qu'humain, émana du petit. J'y voyais tellement de douleur, une douleur trop grande pour être supportable.

Aussi vite qu'elle était apparue, la vision s'éclipsa. J'inspirai et je me retins au bureau de Dominic pour stabiliser mes jambes vacillantes.

— Je suis tellement désolée, parvins-je à dire.

— Pour quelle raison ? demanda Dominic. Il vient de se passer quelque chose, n'est-ce pas ? Qu'as-tu vu ?

— Un garçon.

J'avais le cœur brisé.

— Il était enchaîné dehors sous la pluie, poursuivis-je, comme un animal. Il était affamé, il avait froid et peur et… c'était toi.

Le visage de Dominic se durcit.

— Tu dis n'importe quoi.

— Veux-tu en parler ?

— Non. C'était il y a longtemps.

— Mais la douleur est toujours là.

— Oublie ça, dit Dominic, le front ridé.
Ne gaspille pas ta pitié pour ce garçon, il a
survécu.

— Qui… qui a fait ça à ce garçon. Qui t'a
fait ça ?

— Un oncle, répondit Dominic, les yeux
pleins de haine. Un homme malade qui se
croyait puissant lorsqu'il battait quelqu'un de
plus petit que lui. Il a fini par avoir ce qu'il
méritait et j'ai réalisé que, tout ce temps,
j'avais toujours eu plus de pouvoir que lui.

— Quel pouvoir ? Je sais que Nona t'a
invité ici parce que tu possèdes un genre de
capacité psychique.

— Je ne suis pas voyant.

— Qu'es-tu, alors ?

— Un communicateur, mais non avec les
fantômes ou les gens.

— Que reste-t-il ?

— Ne devines-tu pas ? Lillybelle m'a
averti que tu sortais ce soir.

— Ma chatte ?

— Ouais.

Dominic glissa sa main sur les plumes
soyeuses de Dagger.

— Tu peux communiquer avec… commençai-je.

Ça n'aurait pas dû me bouleverser, mais ce fut le cas.

— … avec les animaux, poursuivit Dominic. Ouais, je peux faire ça.

20

LE LENDEMAIN MATIN, JE M'ÉVEILLAI APRÈS AVOIR
fait un rêve étrange où Dominic sortait des
pages d'un des livres de la collection du
docteur Dolittle, des livres que je lisais durant
mon enfance. Plutôt que d'être grassouillet et
d'âge moyen, Dominic était un jeune et beau
vétérinaire et j'étais la mythique créature

à deux têtes opposées, le lama prénommé pushme-pullyu qui ne sait quelle direction prendre. Dominic me poussait dans une direction pendant que Josh me tirait dans une autre. Je n'arrivais pas à me souvenir des détails de mon rêve mais, lorsque je me suis réveillée, j'étais courbaturée.

J'avais envie d'ignorer la sonnerie de mon réveil car elle signifiait qu'il fallait que j'aille à l'école, là où j'avais un ennemi qui m'était inconnu.

Malgré le fait que la fenêtre de ma chambre fût fermée, je sentis un parfum de lavande, et une douce brise fit bouger mes couvertures. En regardant tout autour de moi, je pensai à Opal.

Bon matin, ma chère Sabine.

« Ce n'est pas un si bon matin. Je veux rester au lit et m'y cacher. Tout est si déroutant ! Peux-tu m'aider ? »

Je l'espère bien. T'appuyer est ma véritable mission et mon objectif de tous les jours.

« Alors, dis-moi pourquoi quelqu'un a déposé des trucs volés dans mon casier. »

Si tu as fait confiance à ton instinct et que tu as examiné la situation, tu connais déjà la réponse.

« Mais je ne sais rien ! J'ai eu des visions à propos de Danielle et j'ai essayé de venir en aide à cette jeune fille, ce qui m'a attiré les pires ennuis. »

Ces problèmes sembleront sans importance au fil du temps. Si je te donnais les réponses, ce serait une tricherie et je te priverais de riches expériences de la vie, et tricher n'est jamais une bonne chose. Les réponses les plus véridiques émergent des épreuves.

Ainsi, je réalisai que j'étais devant une sorte d'épreuve. Je gémis car je détestais les épreuves. J'eus une vision soudaine et je compris pourquoi quelqu'un pourrait bien m'en vouloir.

« Est-ce que ces trucs ont été placés dans mon casier parce que je suis à la recherche des vandales ? » demandai-je à Opal.

Vandale, corrigea-t-elle. *Au singulier.*

« Est-ce quelqu'un que je connais ? »

Nous nous connaissons tous à un certain degré. Passe méticuleusement en revue toutes tes relations et rectifie quelque chose afin d'éviter des conséquences tragiques.

« Pourquoi parles-tu toujours comme les messages des biscuits chinois ? Ne peux-tu pas juste me donner un nom ? »

Non, rétorqua Opal, d'une voix vraiment exaspérée.

« Alors, comment vais-je le découvrir ? »

La connaissance s'acquiert de différentes façons.

« Ce qui veut dire ? » demandai-je avec sarcasme.

Tu es douée d'une intelligence qui a grand besoin d'être utilisée. Ne suppose pas que de te voir patauger dans cette épreuve m'est agréable. Vraiment pas, pour reprendre une de tes expressions favorites. J'en éprouve une frustration sans fin ! Néanmoins, tu fais d'excellents progrès et j'ai confiance en toi.

« Merci bien », grommelai-je pendant qu'Opal se retirait pour retourner au pays des esprits ou à l'endroit où elle passait son temps lorsqu'elle ne se moquait pas de moi.

* * *

Alors que je rinçais mon bol de céréales avant de le mettre au lave-vaisselle, Penny-Love surgit. J'étais surprise qu'elle ait remonté l'allée de garage plutôt que de m'attendre au bord de la rue comme à l'habitude. Cependant, un seul regard à son haut vaporeux et à sa nouvelle paire de jeans m'a permis de constater qu'il y avait de l'amour dans l'air. Elle avait même pris le temps de lisser les boucles de ses cheveux roux afin qu'elles tombent en longues vagues soyeuses sur ses épaules.

— Dominic est-il dans les parages ? s'enquit-elle timidement.

— Non.

— Tant pis ! Je pourrai me reprendre après l'école. Est-ce que ça va si je reviens à ce moment ?

— Bien sûr. Tu n'as pas besoin de me le demander.

— Bien ! s'exclama Penny-Love alors que d'un pas léger nous descendions l'allée de garage. J'ai trouvé la meilleure façon de me faire remarquer par Dominic. Il est amateur d'oiseaux, non ?

— En fait, de tous les animaux.

— Ce qui inclut les oiseaux. Alors, je vais lui dire que mon serin est malade et je vais l'inviter à venir l'examiner.

— Tu n'as pas de serin.

— Un détail, un très petit détail, répondit Penny-Love à ma remarque en agitant la main. Lorsque je veux quelque chose ou quelqu'un, rien ne peut m'arrêter.

— Pourquoi souhaiterais-tu avoir Dominic ? lui demandai-je en espérant lui faire entendre raison. Il est grossier et il aime les animaux plus que les gens. Je ne comprends pas pourquoi tu désirerais un grincheux comme lui alors que tu peux avoir n'importe quel autre garçon à l'école.

— Sauf Josh, précisa-t-elle pour me taquiner.

— Exactement, acquiesçai-je en souriant en entendant le nom de Josh.

Nous étions encore en train de rire lorsque nous sommes arrivées à l'école. En la saluant de la main, je me dirigeai vers mon casier car j'étais impatiente de voir Josh. Or, en m'approchant des casiers, je constatai qu'il y avait beaucoup trop de monde pour trouver qui que ce soit. Des étudiants et quelques professeurs regardaient quelque chose avec étonnement.

La porte d'un casier claqua. Des personnes se déplacèrent et j'aperçus Dunlap. En m'approchant, je vis le directeur en conversation avec un surveillant à la peau olivâtre que je ne reconnus pas. Ce dernier maniait un genre d'outil ou peut-être une clé. Il ouvrit un casier, le referma d'un seul coup, puis en ouvrit un autre.

Je le fixai avec horreur. J'avais peur de respirer et de me trahir.

— Casier numéro 124, entendis-je.

Ils étaient de plus en plus près du mien. De toute façon, ils n'y trouveraient rien de plus que des livres, un chandail et une demi-douzaine de barres de chocolat Snickers mais, hier soir, l'histoire aurait été fort différente.

La peur aux tripes, je pivotai et me frappai contre une fille aux cheveux noirs qui arborait un tatouage en forme de libellule au poignet.

— Danielle ! m'exclamai-je. Excuse-moi, je ne regardais pas.

— Je suis venue pour te parler.

Danielle avait le visage taché de larmes et sa voix était chancelante.

— Je ne sais pas quoi faire d'autre.

— Qu'y a-t-il ?

Mes pensées revinrent au dimanche soir.

— Les policiers ont-ils découvert quelque chose sur nous ? poursuivis-je.

— Non, ça n'a rien à voir. Personne ne m'a questionnée. C'est… c'est Evan.

— Ah ! dis-je en relâchant la respiration que je retenais. Il va bien ?

— Ouais, mais pas moi. Il…

Danielle s'arrêta. Elle était en sanglots.

— Qu'est-ce qu'il y a ? m'enquis-je en passant gentiment mon bras autour d'elle.

— Il m'a laissée tomber !

— Oh, je suis désolée.

Je ne l'étais pas vraiment, mais je ne pouvais lui avouer. J'essayai de retrouver un peu de sincérité.

— Je l'aime plus que ma propre vie, me confessa Danielle. Je ferais n'importe quoi pour lui, absolument n'importe quoi, sauf le laisser partir. Mais, il ne veut rien savoir de moi.

— C'est tant pis pour lui, dis-je pour la consoler. Tu trouveras quelqu'un de mieux.

— Il n'y a personne de mieux que lui.

« Personne de mieux pour être arrogant et imbu de lui-même », pensai-je.

Je guidai Danielle vers un banc et j'essayai de la calmer.

— Je ne connais pas grand-chose à l'amour. Heu… tout ceci te paraîtra sans importance au fil du temps.

Je voulus rattraper mes mots lorsque je réalisai que j'avais répété ce qu'Opal m'avait dit.

— Je veux dire que tu t'en sortiras, enchaînai-je.

— Mais jamais sans lui. Tu n'as aucune idée comment c'est… combien j'ai mal sans lui. C'est comme si mon cœur saignait en moi.

Des larmes glissèrent sur ses joues.

— Je me sens paniquée, comme si je m'effondrais, poursuivit-elle. J'ai *besoin* d'Evan.

— Tu as uniquement besoin de toi, insistai-je. Laisse passer le temps, tu vas l'oublier.

— Jamais ! s'exclama Danielle en me serrant le bras, les yeux furieux. Tu dois m'aider. Josh t'écoutera, et Evan écoutera Josh. Demande à Josh de convaincre Evan de me reprendre.

— Je ne peux pas demander quelque chose de semblable à Josh.

— Mais Evan m'aime. Je le sais. Il a simplement beaucoup d'attentes et je l'ai laissé tomber. Cependant, je peux essayer encore plus fort, si seulement il m'en donne la chance.

Sa voix flancha et elle sembla prête à s'effondrer.

— Parle à Josh. Je t'en supplie !

— Danielle, je ne peux pas… répliquai-je en secouant la tête.

— Je suis désespérée. S'il te plaît, s'il te plaît !

J'hésitai en me remémorant la vision de la libellule ensanglantée. Danielle était comme une enfant apeurée, mais la vision que j'avais eue me liait à elle d'une façon que je ne comprenais pas. Pourtant, je ne pouvais refuser de l'aider, même si ça voulait dire la réconcilier avec Evan.

— O.K., acceptai-je à contrecœur.

— Merci ! Merci !

Danielle me serra dans ses bras, puis se retourna et partit.

À peine une minute plus tard, Josh était là.

* * *

Il fut scandalisé lorsqu'il apprit que mon casier avait été fouillé.

— C'est inconstitutionnel ! tempêta-t-il pendant que nous marchions vers la salle où notre premier cours allait se donner. Je n'arrive pas à croire que tu les as laissés faire sans protester. Ils n'ont pas le droit d'envahir ta vie privée.

— Les casiers appartiennent à l'école. Nous ne faisons que les emprunter.

— Mais les choses à l'intérieur sont tes effets personnels.

Je n'avais jamais vu Josh si enflammé et j'étais secrètement ravie qu'il agisse de façon si protectrice. On aurait dit un héros qui venait secourir sa dame. Je n'étais pas prête à gâcher ce moment en lui parlant des tracas de Danielle.

— Plusieurs casiers ont été fouillés, fis-je observer, pas uniquement le mien.

— Ça ne rend pas le geste plus acceptable, insista Josh. Tu devrais appeler un avocat.

— Quelle adolescente de seize ans a son avocat ?

— Une personne intelligente. Si l'école procède à d'autres coups d'éclat comme celui-là, je vais peut-être m'adresser à un avocat.

À la fin du premier cours, Josh s'était calmé, mais uniquement après que j'eus accepté de le laisser écrire à ma place une lettre de protestation à la commission scolaire.

Lorsque nous nous rencontrâmes le midi, il avait composé la lettre dans un cahier de notes à reliure spirale et il avait hâte de me la montrer. J'essayai de toutes mes forces d'aborder le sujet de Danielle et Evan, mais en vain.

L'après-midi, une nouvelle-éclair se répandit dans l'école. Les articles volés avaient été trouvés dans les bois. Personne n'arrivait à comprendre pourquoi les trucs avaient été abandonnés dans la forêt. Encore une fois, la rumeur attribuait la responsabilité du méfait aux jeunes de Regis High. Or, le sujet n'intéressait vraiment plus personne.

Une fois les choses manquantes récupérées, l'affaire serait considérée comme close, et le lendemain ce serait de l'histoire ancienne.

Sauf pour moi.

Quelqu'un avait envahi mon casier et je ne pouvais oublier cet affront. Le casier n'avait pas été forcé ; alors, soit on l'avait crocheté, soit on en connaissait la combinaison. Cependant, je n'avais révélé ma combinaison qu'à deux personnes : Josh et Penny-Love.

Lorsque Penny-Love vint chez moi un peu plus tard, je lui demandai si elle avait donné ma combinaison de cadenas à quelqu'un d'autre.

— Comment peux-tu me demander une chose pareille ? Tu m'insultes !

— Désolée, répondis-je en ignorant le mélodrame qu'elle me jouait. Avec tout l'émoi créé autour des casiers fouillés, j'imagine que je suis devenue un peu paranoïaque.

— Ta combinaison est en sécurité avec moi.

Penny-Love s'écarta de la fenêtre, d'où elle épiait Dominic.

— Je ne l'ai jamais donnée à une autre personne, poursuivit-elle. Je la garde en sûreté, je l'ai notée sur un post-it que j'ai mis dans mon casier.

— Tu l'as *notée* ? m'exclamai-je.

— Mais oui. J'ai tellement de numéros à retenir. Je dois les écrire sinon mon cerveau se noiera dans une soupe aux chiffres.

— Ainsi, tu as laissé ma combinaison dans le même casier que tu prêtes aux pom-pom girls parce qu'il est plus près du gymnase ? Le même casier que tu as partagé avec tes deux anciens petits amis ? Le même casier qui est resté grand ouvert pendant toute une journée la semaine dernière, car tu étais trop pressée pour le fermer correctement ?

Penny-Love acquiesça et je me mis à gémir.

C'était un peu comme si j'avais publié ma combinaison dans l'*Écho de Sheridan*…

* * *

Ce samedi matin-là, lorsque Josh arriva pour notre rendez-vous, je ne le reconnus pas. Et qui aurait pu m'en blâmer ? Il s'était présenté à la porte avec une perruque hirsute couleur arc-en-ciel, des bas imitant des pieds de poulet et un nez vert.

— Tords-moi le nez, me dit-il en me voyant.

Ce n'était pas tout à fait les mots romantiques qu'une fille veut entendre.

— Ce ne sera pas douloureux ?

— Non. Presse mon nez fortement.

Me sentant un peu idiote, j'étirai la main et pinçai le nez de plastique. *Pouet* ! J'entendis un bruit de klaxon tonitruant et de la morve coula des narines vertes.

— Charmant.

— C'est juste une matière visqueuse synthétique.

Lorsque Josh se mit à rire, encore plus de morve sortit de son appendice nasal.

— Les enfants adorent ça !

— Ha, ha, dis-je en fixant avec dégoût le magma vert répugnant sur mes doigts.

Je me dépêchai d'aller à la salle de bain et de me laver les mains.

En route vers l'hôpital général de Valley, les autres conducteurs nous lancèrent d'étranges regards. N'avaient-ils jamais vu un clown au volant ? Plutôt que d'être gênée, je me surpris à m'amuser follement. Josh était un mélange merveilleux de loufoque et de sérieux. Et, sous le maquillage de théâtre et le faux nez, c'était un gars superbe qui, éton-namment, s'intéressait à moi.

À l'hôpital, je fus impressionnée par le nombre de personnes qui saluaient Josh : des infirmières, des médecins, des patients et quelques préposés à l'entretien. Dans des vêtements de clown trop grands et derrière un maquillage qui ne permettait pas de voir son visage, les gens l'aimaient.

Particulièrement les petits.

Josh chanta des chansons drôles en s'ac-compagnant d'un balai qu'il grattait comme s'il s'agissait d'une guitare. Puis, plutôt que de sortir un lapin de son chapeau, il tira une bombe de Silly String[3] et des animaux en peluche d'un pot de chambre. Des enfants en fauteuil roulant, branchés à des cathéters intraveineux et couverts de bandages, riaient et le suppliaient de continuer. C'était fantas-tique.

Je n'avais pas totalement oublié la pro-messe que j'avais faite à Danielle, mais il n'était pas vraiment facile de trouver le bon moment pour en parler à Josh. Je ne voulais pas le distraire de son spectacle. Alors, j'attendis que nous soyons sur le chemin du retour.

3. Silly String est un jouet pour enfant. Il s'agit d'un cordon de plastique flexible qu'on vaporise et qui se solidifie au contact de l'air.

— J'ai vu Danielle hier, l'informai-je enfin en tenant la perruque arc-en-ciel qu'il avait mise de côté. Evan t'a-t-il dit quelque chose à propos d'elle ?

— Non, répondit-il en secouant la tête. Il sort avec une autre fille, Shelby.

— Shelby McIntire ?

Je vis dans ma tête l'image d'une fille éblouissante aux cheveux blonds dorés et aux yeux étincelants.

— Ouais. Tu là connais ?

— Pas personnellement, mais c'est une pom-pom girl et elle est très belle.

Je soupirai.

— Pauvre Danielle. Elle est anéantie.

— Les petites amies d'Evan finissent toujours par s'en remettre et l'oublier.

— Je ne suis pas si sûre que ce sera le cas de Danielle. Elle semble si fragile. Elle s'est complètement effondrée à la suite d'un examen. Elle était vraiment paniquée lorsque je l'ai vue.

— Ne t'inquiète pas. Danielle ira bien. Je ne devrais peut-être pas dire ça, mais je crois qu'Evan a mis fin à leur relation parce que cette fille est trop intelligente. Son ego ne pouvait probablement pas le supporter.

— Elle est intelligente ?

— Ouais. Tu ne le savais pas ? Elle possède une mémoire photographique et réussit toujours parfaitement les examens. Elle a aidé Evan à améliorer ses notes et à continuer de faire partie de l'équipe de football.

— Ensuite, il l'a laissée tomber.

— Evan peut être dur avec les filles.

— Alors, pourquoi restes-tu ami avec lui ?

— Il est O.K. quand tu apprends à le connaître. Tu sais, je le fréquente depuis longtemps. Lui, mon frère et moi étions pratiquement inséparables… et, après l'accident, Evan a été là pour moi.

— Oui, c'est bien, dis-je avec regret, en pensant à quel point je valorisais l'appui inconditionnel de Nona envers moi.

Ce genre de loyauté était rare. On ne pouvait pas compter sur bien des gens lorsque les choses devenaient difficiles.

Josh ralentit la voiture et stationna dans l'allée de garage. Il éteignit le moteur, puis se tourna vers moi.

— Je trouve que c'est sympa que tu t'inquiètes à propos de Danielle. Ça fait partie des caractéristiques qui font de toi une personne spéciale.

Naturellement, après cela, nous ne parlâmes plus de Danielle ou d'Evan.

Ce n'est qu'après m'être mise au lit ce soir-là que je repensai à notre conversation et que je réalisai quelque chose de stupéfiant.

Si Danielle possédait une mémoire photographique, pourquoi serait-elle nerveuse à l'idée de passer un examen ? Elle n'avait aucune raison de voler une clé et de forcer le classeur privé d'un professeur.

Que cherchait-elle vraiment ?

21

JOSH ME RECONDUISIT TÔT À LA MAISON, CAR IL devait assister à un dîner de famille. Comme il restait quelques heures d'ensoleillement, je trouvai l'adresse de Danielle dans le bottin téléphonique et je partis à bicyclette pour aller discuter avec elle.

Lorsque j'emménageai à Sheridan Valley, je me vautrais dans une sombre disgrâce, et je me sentais isolée. Bien sûr, nous n'étions qu'à seulement trente minutes de Sacramento ou de Stockton, mais j'étais habituée à la vie trépidante de San Jose. Au départ, je n'avais pas d'amis et je passais beaucoup de temps à lire à l'ombre d'un saule pleureur, jusqu'au jour où Nona me fit cadeau d'une vieille bicyclette et qu'elle m'ordonna de sortir un peu. J'étais affolée mais, après quelques jours d'exploration, j'éprouvai un fort sentiment de liberté. J'étais libre de voler dans le vent, de m'éloigner du passé.

Le quartier huppé dans lequel vivait Danielle, Summit Estates, était adossé à la lisière la plus lointaine de la forêt qui entourait la maison. Je tournai à gauche sur la rue Maple, passai un verger de noyers, et roulai jusqu'à ce que les champs fissent place à de nouvelles résidences immaculées. Les numéros civiques n'étaient pas apposés sur les maisons ; ils étaient plutôt peints en lettres dorées, de même style et de même dimension, sur le trottoir longeant chacune des propriétés. Une allée circulaire traversant de luxuriants arbustes taillés ornait la façade de la vaste demeure à trois étages de Danielle. Je lissai mes cheveux blonds en bataille et remis mon t-shirt en place, puis je frappai à la porte.

Cependant, j'étais en retard de cinq minutes.

Le père de Danielle m'annonça que sa fille venait tout juste de partir pour aller assister à la séance d'entraînement de football de son petit ami.

Petit ami ? Avait-elle un nouvel ami de cœur ou avait-elle renoué avec Evan ? Je me le demandais, tout en dissimulant ma surprise avec un « merci » poli. Une minute plus tard, j'enfourchai à nouveau ma bicyclette et me dirigeai vers Sheridan High.

* * *

À mesure que j'approchais du terrain de football, j'entendis des cris s'entremêler aux bruits secs de corps qui s'entrechoquaient. Après avoir placé mon vélo contre une clôture, je marchai vers les gradins à la recherche de Danielle. Je la vis enfin ; elle était assise à l'extrémité d'une rangée de bancs dans la section populaire. Ses cheveux noir de jais étaient remontés sous une casquette qui dissimulait presque tout son visage. Elle observait avec tellement d'attention l'aire de jeu qu'elle ne me vit pas avant que je n'arrive à ses côtés.

— Sabine ! lança-t-elle en sursautant. Il ne faut pas me surprendre ainsi !

— Excuse-moi, mais peux-tu me dire ce que tu fais ici ?

— Ce n'est pas de tes affaires.

— Pourquoi épies-tu Evan ?

— Y a-t-il quelque chose d'illégal à regarder l'entraînement des joueurs ?

— Pourquoi te soumettre à une telle torture ? demandai-je d'une voix triste en hochant la tête. Tu dois l'oublier.

— Il est toujours mon petit ami, répliqua Danielle. Nous n'éprouvons que quelques problèmes.

— Et moi, j'ai un problème lorsqu'on me ment, lui rétorquai-je.

Je pris un siège près d'elle et lui lançai un regard accusateur.

— Quelle est la vraie raison pour laquelle tu t'es introduite dans la salle des fournitures ?

— Je te l'ai déjà dit, maugréa Danielle.

Sa casquette trop grande glissa de sa tête et, lorsqu'elle la ramassa, le minuscule tatouage en forme de libellule de son poignet sembla s'obscurcir.

— Josh m'a informé à propos de ta mémoire photographique.

— Tu as parlé à Josh ? me demanda Danielle en me serrant le bras. A-t-il mentionné quelque chose à propos d'Evan ? Va-t-il nous aider à revenir ensemble ?

J'ignorai les questions et j'attaquai à nouveau.

— Pourquoi étais-tu dans la salle des fournitures ?

— Pour copier un examen de bio.

— La vérité ! suppliai-je.

Embarrassée, Danielle se mit à se ronger l'ongle du pouce.

— C'est la vérité, confessa-t-elle. Sauf que… l'examen n'était pas pour moi.

— Alors, pour qui était-il ? Oh, mon Dieu ! Evan ! Tu l'as fait pour lui ?

Je jetai un coup d'œil sur le terrain à l'endroit où Evan courait avec le ballon.

— Son professeur de bio hait les sportifs, expliqua Danielle, et Evan sera renvoyé de l'équipe de football s'il échoue un autre test.

— Par conséquent, tu as essayé de voler un examen.

— Excepté que je n'ai pas pu le trouver. Puis tu es arrivée, le concierge nous a surprises et tout a été foutu.

— C'est le concierge qui était foutu après notre départ. As-tu aperçu quelqu'un de suspect ?

— Non, répondit Danielle un peu trop rapidement.

Il y eut des applaudissements de la part des autres joueurs et des spectateurs dans les gradins lorsque Evan fit un attrapé spectaculaire. L'entraîneur lui donna une claque dans le dos, puis fit signe aux footballeurs de se rassembler.

Nostalgique, Danielle regardait la scène, et elle joignit les mains pour applaudir faiblement.

— Evan n'est-il pas merveilleux ? Il me manque tant. J'ai de la difficulté à vivre sans lui. Je l'ai déçu et à présent il ne veut plus me parler. Si je pouvais le voir seul à seul et m'expliquer, je sais que tout rentrerait dans l'ordre.

— Après la manière dont il t'a traitée ? m'indignai-je. Pourquoi veux-tu renouer avec lui ?

— Nous sommes des âmes sœurs et nous nous aimerons jusqu'à la fin des temps. Attends, tu verras ! La prochaine fois que tu me rencontreras, nous serons ensemble.

Je fronçai les sourcils en ne sachant trop que dire. Je sentais tout au fond de moi que

Danielle et Evan n'étaient pas faits l'un pour l'autre ; pourtant, il était injuste de poser un tel jugement. Peut-être qu'Evan était un être différent lorsqu'il était seul en compagnie de Danielle. Selon Josh, Evan était un bon gars. Alors, il ne pouvait être un parfait imbécile.

Des hurlements et des bruits de piétinement ramenèrent mon attention sur le terrain de football. Des jeunes à la stature imposante se tapaient dans les mains pendant que l'entraîneur les gonflait à bloc avec un discours d'encouragement.

J'observai Danielle, me demandant si elle irait rejoindre Evan. Or, ce fut une autre fille qui courut à travers le terrain pour se ruer sur lui, une fille délicate aux cheveux couleur de miel ornés de quelques mèches. Evan laissa tomber son casque et ouvrit ses bras bien grand pour la serrer contre lui. Elle était si petite que ses pieds quittèrent le sol alors qu'il la faisait tournoyer.

Danielle gémit et s'affaissa sur le banc.

— Je suis tellement désolée, dis-je avec douceur.

La pauvre avait les yeux fixés sur l'aire de jeu et des larmes ruisselaient sur ses joues.

— Ne le laisse pas te faire de mal, lui conseillai-je en prenant ses mains tremblantes entre les miennes.

Elle ne prononça pas un mot : son visage était aussi livide que celui d'un cadavre. Elle ne tenta pas de résister lorsque je la conduisis au bas de l'estrade. Puis, elle s'immobilisa et regarda tout simplement le sol.

— Comment peut-il ? murmura-t-elle, stupéfaite.

— Il le fait tout le temps. Certains jeunes l'appellent « En avant, Marsh ».

— C'était pourtant différent entre nous, m'expliqua Danielle. Il a dit que je n'étais pas comme les autres filles. Qu'il… qu'il m'aimait.

Son regard glacé devint de feu.

— Je le hais ! poursuivit-elle.

— C'est bien ! Il le mérite.

— Je… je souhaiterais qu'il soit mort.

— Il ne vaut pas le prix d'un tueur à gages.

Je blaguai nerveusement, surprise de l'hostilité dont Danielle faisait maintenant preuve. C'était comme si ses émotions avaient été poussées au bord d'un précipice, et qu'elle était sur le point d'y basculer.

— Viens, tu as besoin de t'éloigner d'ici, repris-je.

— Ça n'a pas d'importance.

Danielle serra les poings.

— Plus rien n'a d'importance à présent, sauf me venger de lui, clama-t-elle. Si je ne peux l'avoir, personne d'autre ne le pourra.

Je tendis les bras pour l'étreindre, mais elle me repoussa. Elle était de plus en plus en colère.

— Il n'a pas le droit de me traiter de cette façon ! Sais-tu ce que j'ai fait pour lui ? En plus de l'aider dans ses études, j'ai *fait* ses devoirs. Ensuite, je suis entrée par effraction dans l'école et j'ai presque été arrêtée. Tout ça pour lui !

— Tu en as fini avec lui maintenant. Il ne peut plus te faire de mal.

— Oui, j'ai mal, mais ce sera pire pour lui.

— Laisse tomber, répliquai-je, troublée par une telle méchanceté. La vengeance ne résout rien.

— Evan regrettera de m'avoir trahie parce que j'en sais assez sur son compte pour le perdre.

— Que veux-tu dire ?

— Tu désires connaître ce qui est réellement arrivé ce soir-là à l'école ? Je ne t'ai raconté que la moitié de l'histoire. Tu avais raison. Je mentais pour protéger cet imbécile. Je ne suis pas allée seule à l'école. Evan m'a forcée à m'y rendre et il m'attendait à l'extérieur.

— Evan était là ?

— Oui.

Danielle grimaça comme si elle avait un goût amer dans la bouche.

— C'était entièrement son idée. Il m'a suppliée de trouver l'examen et de le mémoriser. J'étais enchantée de faire quelque chose de si important pour lui ; j'étais convaincue qu'il m'aimerait plus que jamais. Cependant, tu sais ce qui s'est passé lorsque je suis revenue après t'avoir semée ?

Je secouai la tête.

— Il a crié après moi. Il a dit que j'étais une perdante et il m'a blâmée d'avoir échoué. Quand je lui ai déclaré que je l'aimais, il a simplement ri et m'a dit de dégager.

— Qu'as-tu fait ?

— Je suis partie, mais non Evan.

Danielle marqua une pause et se retourna pour jeter un regard chargé de colère vers le terrain de football.

— La dernière fois que je l'ai vu ce soir-là, poursuivit-elle, il se dirigeait de nouveau vers l'école pour trouver l'examen.

22

LES JOUEURS QUITTAIENT LE TERRAIN DE FOOTBALL et, lorsque Danielle remarqua Evan et Shelby parmi le groupe, elle leva les mains.

— Je dois m'en aller, hurla-t-elle.

Elle partit à toute vitesse, me laissant seule et abasourdie par ses révélations.

Je m'éloignai lentement en essayant de trouver une solution. Comment pouvais-je accuser le meilleur ami de Josh ? Je n'étais pas certaine de ce qu'Evan avait fait cette nuit-là. Avait-il copié le test ? Planifiait-il toujours de tricher ? Avait-il été témoin du saccage ? Ou y avait-il participé ?

Je n'aimais pas beaucoup Evan, mais aurait-il vandalisé sa propre école ? « Ce n'est qu'un tricheur, non un vandale », pensai-je. Peut-être avait-il seulement vu ce qui s'était passé et avait-il peur d'en parler.

Ou Danielle avait-elle menti... une autre fois ?

J'attrapai mon vélo par le guidon et je m'apprêtais à partir quand je sentis une tape sur mon épaule. En me retournant, je me retrouvai face à la poitrine d'un grand joueur de football.

— Evan !

— N'aie pas l'air si heureuse de me rencontrer, lança-t-il avec un sourire malicieux. Que fais-tu ici ? Tu m'espionnes ?

— Non.

J'appuyai ma bicyclette contre la clôture.

— Qu'est-ce qui te fait penser ça ?

— C'est connu que tu n'es ni une fervente de football ni de moi, répondit Evan d'un ton accusateur. Josh est différent depuis qu'il est avec toi. Je ne le vois presque plus à présent.

— Il est occupé, j'imagine.

— N'essaie pas de t'immiscer dans notre amitié. Aucune fille n'a jamais réussi.

— Et il y en a eu pas mal de ces filles, ne pus-je m'empêcher de dire avec sarcasme. Je t'ai vu sur le terrain avec ta nouvelle petite amie. Où est-elle allée ?

— Garder des enfants.

Evan plissa les yeux pour me regarder.

— Je t'ai vue avec Danielle, affirma-t-il.

— Danielle est partie et je m'en vais aussi, rétorquai-je en m'écartant de lui.

J'étais pressée d'enfourcher mon vélo et de quitter les lieux.

— Attends ! cria le garçon en se déplaçant pour me bloquer la route. Qu'est-ce que Danielle t'a dit à mon sujet ?

— Rien.

— Tu en es sûre ?

— Eh bien, elle était peinée en raison de la présence de Shelby. Je constate que tu es fidèle à ta réputation.

— Quel mal y a-t-il à continuer son chemin lorsque les choses ne marchent pas ? Ça ne fait pas de moi un mauvais gars.

— Ça dépend de la raison pour laquelle les choses n'ont pas marché avec Danielle, expliquai-je.

— Josh ne me jugerait jamais sans d'abord entendre ma version.

— Il voit toujours le meilleur des gens. J'admire cette qualité chez lui, et ce n'est pas que je suis naïve. Mais peu importe mon opinion, le problème se situe entre toi et Danielle.

— C'est fini entre nous. Je suis avec Shelby maintenant. Elle ne ressemble en rien à Danielle. Elle sait comment prendre bien soin d'un gars.

— Est-ce que ça inclut le vol… ?

Je plaquai la main contre ma bouche. Puis, je jetai un œil à ma montre, comme si je venais tout juste de me rappeler que j'étais en retard pour un rendez-vous.

— Je dois vraiment y aller, poursuivis-je.

— Danielle t'a parlé de l'examen, n'est-ce pas ? Alors, elle t'a dit que nous étions à l'école dimanche dernier.

— Je ne sais pas de quoi tu parles, répondis-je en faisant un pas de côté.

Evan se plaça à nouveau devant moi.

Il avait toujours le sourire, comme s'il jouait avec moi. Il salua même avec désinvolture quelques jeunes qui passaient à côté de nous.

— Si tu veux apprendre ce qui s'est réellement passé cette nuit-là, m'expliqua-t-il, il ne faut pas partir en coup de vent. Je vais te dire quelque chose que je n'ai jamais confié à personne.

— Quoi ?

— J'ai une photo du mec qui a saccagé l'école ; elle a été prise sur le vif. Alors, souhaites-tu entendre ma version à présent ?

Je n'avais pas confiance en ce garçon mais je ne pouvais ignorer ce nouvel élément. Une photographie ! Une preuve réelle ! Manny en serait totalement renversé. Je hochai donc la tête pour acquiescer.

— J'ai honte d'avoir essayé de tricher, lança Evan alors que nous marchions vers l'édifice.

Sa sincérité ne me semblait pas pouvoir être mise en doute.

— Lorsque Danielle a découvert que je serais renvoyé de l'équipe de football si j'échouais à un autre examen de science, expliqua-t-il, elle m'a offert de copier le test, et je n'ai pu l'empêcher de passer à l'action. Je l'ai donc accompagnée pour monter la garde à l'extérieur.

« De toute évidence, il ne s'agissait pas d'une garde trop attentive, sinon le concierge ne nous aurait jamais surprises », pensai-je. Je me demandai alors si Evan savait que j'étais aussi sur les lieux.

— Je me faisais discret et j'ai vu un gars qui furetait dans les alentours, enchaîna-t-il. Il tenait une bombe de peinture en aérosol et agissait de façon très suspecte. Je ne pouvais pas appeler les flics car Danielle aurait pu avoir des ennuis. Cependant, j'ai pris une photo du gars avec mon téléphone cellulaire.

— Pourquoi n'as-tu pas sorti Danielle de l'édifice et téléphoné aux policiers par la suite ?

— Au départ, je ne savais pas ce que le gars allait faire. Ce n'est que le lendemain que j'ai appris ce qui s'était passé.

Evan baissa alors la tête.

— Je suis désolé d'avoir été agressif avec toi au départ, mais Danielle me met en colère, ajouta-t-il d'une voix douce.

— C'est toi qui l'as laissée tomber, fis-je remarquer.

— Je me sens mal à ce sujet. J'étais vraiment épris d'elle jusqu'à ce qu'elle commence à tenir des propos déments, qu'elle menace de se suicider, de me tuer et d'abattre toutes les filles avec qui j'étais déjà sorti.

— Elle était simplement blessée.

— Moi aussi, répliqua Evan en poussant un soupir théâtral. J'ai imprimé la photo et je l'ai cachée dans un endroit sécuritaire, juste au cas où j'en aurais besoin.

Je me croisai les bras sur la poitrine en ne sachant trop si je devais le croire. Tout ça semblait bien planifié et tellement pratique. Par contre, je voulais vraiment voir la photographie. Alors, après m'être bien assurée que mon vélo était verrouillé, je suivis Evan qui se dirigeait vers l'école. Je marchais rapidement en regardant nerveusement par-dessus mon épaule de temps à autre.

Sabine, me dit doucement une voix intérieure. Opal ! C'était tout à fait elle ; elle intervenait au moment où je trouvais les réponses moi-même. Je bloquai toute communication en visualisant la réaction de Manny quand je lui montrerais la photo du vandale. Il sera extrêmement impressionné, particulièrement lorsque je lui dirai que je n'ai eu aucune assistance de l'au-delà.

Alors que nous approchions de la même porte « ouverte » que Manny avait empruntée pour entrer dans l'école, Evan s'arrêta pour examiner les alentours.

— As-tu entendu ça ? demanda-t-il, en jetant un œil autour, mal à l'aise.

— Quoi ? Il n'y a personne ici.

— On ne sait jamais qui nous observe, me fit remarquer Evan d'un ton sinistre.

Pourquoi agissait-il ainsi ? Un curieux sentiment me fit regarder par-dessus mon épaule à nouveau, et je perçus un mouvement rapide dans la cour remplie d'arbres. « Juste un oiseau ou un écureuil », me rassurai-je. Malgré tout, mon cœur battait à tout rompre pendant que je marchais avec Evan dans l'édifice silencieux et faiblement éclairé.

— Avec toutes ces fouilles, je n'ai pas cru que ce serait une bonne idée de déposer le cliché dans mon casier, expliqua Evan. Puisque j'avais toujours la clé que Danielle avait utilisée pour entrer dans la salle des fournitures, j'y ai caché la photo.

Il s'arrêta devant la pièce où j'avais trouvé Danielle. Il laissa tomber son sac à dos et sortit la clé de sa poche. Il ouvrit la porte et fit un grand signe de la main pour me céder le passage, tel un gentilhomme.

— Les dames d'abord !

Je restai figée en me rappelant la dernière fois que j'étais venue ici et que j'avais été surprise par le concierge. Après tout, ce n'était qu'une semaine plus tôt. Je jetai un œil à l'intérieur, mais ne vis rien de menaçant : il y avait un bureau, des chaises et des classeurs. Pourtant, j'avais un mauvais pressentiment.

— Je ne sais pas… commençai-je à dire.

Soudainement, une violente poussée dans le dos me coupa le souffle.

Haletante, je culbutai vers l'avant et tombai durement sur le plancher de béton. La douleur fusa dans mes genoux, la porte claqua et la pièce devint obscure. Tout ça se passait très vite. Avant que j'aie pu me relever pour me hâter vers la sortie, j'entendis un bruit sec qui m'indiquait que la porte derrière moi venait d'être fermée à clé.

Je frappai avec toute la force de mes poings dans la porte.

— Laisse-moi sortir ! hurlai-je.

— Crie autant que tu veux, répondit Evan, qui riait de l'autre côté de la porte. Le concierge ne peut pas t'entendre. Il ramasse les ordures près du terrain de football.

— Abruti ! clamai-je.

Je sentais une brûlure sur mes genoux. J'ignorai cependant la douleur pour tirer sur la poignée de la porte et la secouer. Elle ne bougea pas d'un poil.

— Pourquoi fais-tu ça ? poursuivis-je.

— Je limite les dégâts. De plus, c'est assez amusant.

— Attends de voir les dégâts que je te ferai une fois que je serai sortie d'ici !

— Tu es donc si naïve, dit Evan d'un ton railleur. Tu croyais réellement que j'avais une photographie ?

— Tu n'as pas de photo ? m'époustouflai-je. Alors, pourquoi as-tu…

Mon corps se raidit, mais mon cerveau s'agita.

— Tu as déposé ces trucs dans mon casier ! m'écriai-je. Pourquoi t'attaquer à moi ? Qu'est-ce que j'ai bien pu te faire ?

— Te mettre entre Josh et moi, avoua Evan. Il m'a toujours admiré comme un grand frère, mais il n'a pas voulu m'écouter à propos de toi. La première fois que je t'ai rencontrée, je me suis douté que tu nous apporterais des ennuis. Et j'en ai été convaincu lorsque tu as commencé à fréquenter Danielle et que tu l'as poussée à te révéler des choses à mon sujet.

— Alors, tu m'as tendu un piège ?

— Je connaissais la combinaison de ton casier pour avoir observé Josh. Diriger le blâme vers toi, ça a été un coup de maître. J'ai essayé de trouver une façon de montrer à Josh que tu n'es pas faite pour lui. Il sera sûrement bouleversé lorsqu'il apprendra que tu es une voleuse, mais je serai là pour lui. Il m'écoutera à l'avenir avant de sortir avec une moins que rien.

Mon esprit continuait d'assimiler les détails, mais je ne comprenais pas parfaitement ce qu'Evan disait.

— C'est toi qui as téléphoné pour donner un renseignement anonyme ! m'exclamai-je.

Je frappai plus fort sur la porte ; j'aurais souhaité que ce soit le visage de cet abruti.

— Brillant, non ? Sauf que, et j'ignore comment, tu as eu de la chance et trouvé les trucs avant que Dunlap ne fouille ton casier.

— Attends que je sorte d'ici ! Je vais tout lui raconter.

— Essaie. Tu penses qu'il te croira plutôt que de faire confiance à son joueur de football vedette ? Les membres de mon équipe me couvriront ; ils diront que j'étais avec eux. Alors, ce sera ta parole contre la mienne. Et à ce moment-là, plus personne ne croira en toi... y compris Josh.

Paniquée, je serrai les poings et tambourinai encore plus fort sur la porte.

— Ouvre, tout de suite ! m'époumonai-je.

— Continue à faire du tapage. Quand le concierge aura terminé de nettoyer le terrain de football, il te laissera sortir. Par contre, il ne sera pas très content lorsqu'il verra ce que tu as fait.

— Je n'ai rien fait.

— Personne ne croira ça.

Une odeur désagréable s'infiltra sous le seuil de la porte. De la peinture ! Evan eut un rire glacial qui me fit frissonner.

— D'ici lundi matin, me prévint-il, toute l'école saura qui est le vandale. Toi.

23

J'ÉTAIS PRISE AU PIÈGE. MON SEUL ESPOIR D'ÊTRE secourue serait récompensé d'un blâme pour des crimes que je n'avais pas commis. Pourquoi avais-je été assez stupide pour croire Evan ? Il m'avait qualifiée de naïve et il avait raison. Je savais que c'était un crétin et je ne l'avais jamais aimé. Malgré tout, je l'avais suivi.

Mes yeux s'embuèrent en raison des vapeurs de peinture et, lorsque je les frottai, ils picotèrent davantage. Sombrant dans le désespoir, je murmurai dans l'obscurité : « Qu'est-ce que je vais faire ? Opal, pourquoi ne m'as-tu pas avertie de ce danger ? »

J'ai essayé, eut le toupet de répondre ma guide spirituelle. *Cependant, tu as choisi de ne pas écouter.*

— Crie la prochaine fois, lui répliquai-je en me laissant choir contre la porte. Il y aura sans doute une nouvelle occasion ! Evan est en train de se forger un alibi pendant que j'attends que l'on me surprenne sur le fait. Le concierge pensera que j'ai été assez stupide pour m'enfermer moi-même après avoir barbouillé les murs de graffitis ; personne ne croira que c'est Evan qui a fait ça. Tout le monde se retournera contre moi et je devrai quitter l'école… et Josh.

Autant de pessimisme ne sied pas à une jeune fille. À mon époque, j'étais trop prise par des tâches éreintantes pour songer à mon propre confort. Tu dois accorder moins d'importance aux peccadilles et te concentrer pour avoir une vue plus globale.

T'apitoyer sur ton sort ne te mènera à rien. Cherche une action positive.

— Grosse nouvelle, mais je suis emprisonnée ici, fis-je remarquer. Je ne peux rien faire.

*En es-tu certaine ?*demanda Opal.

Je tentai d'argumenter mais son énergie se retira ; je compris alors que c'était inutile. Comment Opal pouvait-elle me comprendre ? Elle était en sécurité dans le monde des esprits, là où à n'en point douter les portes n'étaient jamais verrouillées.

Malgré tout, elle avait raison. Je ne pouvais abandonner.

Mes yeux s'ajustaient doucement à l'obscurité et j'explorai la pièce ; je passai la main sur les murs afin de détecter un interrupteur.

Je me souvins que le concierge s'était étiré le bras pour activer une ampoule au plafond. En quelques secondes, mon trou noir de désespoir fut envahi de lumière.

Tout ce qu'il me fallait à présent, c'était ouvrir la porte.

Dans les films, les serrures étaient crochetées à l'aide de cartes de crédit ou d'épingles à cheveux. J'étais trop jeune pour détenir une carte de crédit et l'élastique en tissu froncé qui retenait ma queue de cheval était ce qui ressemblait de plus près à une épingle à cheveux. J'entrepris de fouiller la pièce, regardant dans les tiroirs qui n'étaient pas verrouillés. Je trouvai des portemines, des stylos, du papier, des élastiques et du ruban gommé. Je dépliai un gros trombone et essayai de le faire entrer dans le trou de la serrure, mais en vain. Je cherchai donc encore. Je m'écriai de joie en découvrant un tournevis.

Oubliant la serrure, j'allais retirer les gonds.

Comme tout ce qui se trouvait dans l'école, la porte était vieille. Les gonds n'étaient maintenus que par quelques vis. Mes genoux me firent mal quand je les calai sur le sol pour entreprendre le travail. J'appuyai mon bras contre la porte pour garder l'équilibre. Au moment où la première vis commença à bouger, j'entendis du bruit provenant du couloir à l'extérieur.

« S'il vous plaît, pas le concierge ! pensai-je. J'avais besoin de plus de temps ! »

La poignée s'agita, puis tourna. La porte s'ouvrit et je vis…

— Dominic ! Je suis si contente de te voir !

— Eh bien, c'est une première.

Le garçon eut un sourire ironique et des fossettes adoucirent son visage viril.

— Ça va ? s'enquit-il.

— Ouais, mais comment savais-tu que j'avais des ennuis ? lui demandai-je en me souvenant de l'ombre que j'avais aperçue plus tôt près d'un arbre. Ah, ne me le dis pas… un petit oiseau t'en a fait part.

— Un gros oiseau, répliqua-t-il, regardant autour avec curiosité. Comment t'es-tu retrouvée enfermée ?

— À cause d'Evan.

Je pouvais voir à l'expression perplexe de Dominic qu'il ne connaissait pas ce nom. Je rangeai le tournevis dans le tiroir.

— Je t'expliquerai plus tard, enchaînai-je. Partons d'ici en toute hâte.

Dans le couloir, l'odeur de la peinture était oppressante. Sur un mur, un message très grossier était griffonné par-dessus un dessin injurieux représentant le directeur Dunlap assis sur un chapeau de cow-boy géant qui ressemblait à une toilette.

Dominic toucha le dessin, puis jeta un coup d'œil à la tache bleue sur son doigt.

— Peinture fraîche ! Est-ce ton œuvre d'art ?

— Non ! Je ne ferais jamais ça !

— C'est ce que je pensais.

Je me penchai pour ramasser les bombes et les jeter dans une poubelle à proximité, mais Dominic me tira la main.

— Ne fais pas ça, m'avertit-il. Tu laisserais des empreintes.

— Ah, oui. Tu as raison.

Je fixai la main de Dominic qui tenait mon poignet et je rougis d'embarras. Je me libérai d'un geste brusque et annonçai que nous ferions mieux de partir.

Attends. Ton casier.

C'était encore Opal.

Je m'arrêtai. Je pensai que, cette fois, j'avais peut-être intérêt à l'écouter.

— Quoi ? demanda Dominic.

— Nous devons vérifier mon casier.

Dominic se contenta de hocher la tête et me suivit dans le couloir.

Je remerciai silencieusement Opal car, au moment où j'ouvris mon casier, j'y découvris deux bombes de peinture en aérosol.

— Ce gars, Evan, n'entend pas à rire, s'exclama Dominic.

Je fis signe que oui. De toute évidence, Evan jouait pour gagner.

* * *

Quand nous fûmes enfin à l'extérieur, je pris une grande bouffée d'air frais du soir et je la relâchai lentement. J'étais en sécurité, du moins pour l'instant.

Il y eut un battement d'ailes et le faucon de Dominic se posa sur la bande protectrice en cuir que portait habituellement le garçon autour de son bras. Je regardai l'élégant oiseau avec un nouveau sentiment de respect à son égard.

— Dagger t'a-t-il dit que j'avais vraiment besoin d'aide ?

— Pas en mots. Par contre, je comprends ses gestes et ce n'est pas tellement difficile. Quand il baisse la tête comme ça, il signifie qu'il est fier de lui.

— C'est vrai, tu es très intelligent, ajouta Dominic à l'intention du faucon.

— Très intelligent, répétai-je avec grati-tude. Remercie-le pour moi.

Dominic fit signe que oui, inclina la tête en arrière et ferma les yeux pendant un moment. Aucun son ne fut émis, mais Dagger sembla comprendre le message. Dominic avait peut-être des images dans son esprit qui ressemblaient à celles de mes visions, sauf que les siennes provenaient des animaux. Je voulais le questionner à propos de son don, mais mon cœur battait à tout rompre et je n'étais pas certaine de ce que je devrais dire.

Nous étions arrivés devant la grille de cour avant de Nona. Je me tournai vers Dominic, mes doigts s'attardant sur le loquet.

— Je ferais mieux de rentrer.

— Ouais, acquiesça le garçon.

— Il est tard. J'ai des… devoirs.

— Et j'ai des travaux à faire.

Dominic ne partit pas, et moi non plus. Il me regarda, comme s'il attendait quelque chose. J'attendais aussi, même si je n'avais aucune idée de ce que j'espérais. Le silence prit place entre nous, long et embarrassant, jusqu'à ce que le garçon enfourne ses mains dans ses poches et s'apprête à s'éloigner.

— Attends ! lui criai-je, ce qui nous étonna tous les deux.

— Quoi ? dit-il en se retournant.

— Je… je voulais simplement dire…

Je bredouillai.

— …dire que ce soir tu as été là pour moi, et je ne l'oublierai jamais. Merci.

Puis, je pivotai et courus vers la maison.

24

NONA AVAIT LAISSÉ UN MOT SUR LA PORTE À MON intention.

« Poker chez Grady. Plat au four. Ta mère a rappelé. »

J'étais épuisée, physiquement et moralement. La dernière chose dont j'avais besoin était de parler à ma mère. Ce n'était pas comme si on discutait, on se disputait. Alors, je froissai la note et la lançai dans la poubelle.

Le dimanche matin, je m'éveillai avec des cernes noirs sous les yeux et des ecchymoses violettes aux genoux. Je ne me sentais pas très bien et décidai de passer la journée au lit. Je jasai au téléphone, puis regardai des vidéos avec Nona. Cette dernière prit soin de moi et évita d'aborder le sujet irritant de l'appel de ma mère. J'étais incapable de chasser mes inquiétudes mais, pendant cette journée de bonheur, je me sentis un peu mieux.

Malheureusement, lundi arriva trop tôt. Je savais que le fait de ne pas aller à l'école ne ferait pas disparaître mes problèmes. De l'extérieur, tout semblait normal. Je fis mes trucs habituels, soit aider Nona à préparer le petit-déjeuner, écouter les derniers potins de Penny-Love en marchant vers l'école et rencontrer Josh avec son sourire radieux devant mon casier. Toutefois, à l'intérieur, j'avais les nerfs en boule ; je m'imaginais avoir la tête sous la guillotine en attendant que le couperet tombe. Le couperet vacilla quelque peu lorsque Josh me demanda si ça m'ennuierait d'avoir un autre rendez-vous à quatre avec Evan. « Oui, ça m'ennuierait ! pensai-je. Était-ce l'idée que se faisait Evan du plaisir ? »

— Quel est le problème ? s'enquit Josh qui, de toute évidence, était déçu lorsque je refusai de sortir n'importe où avec Evan. Es-tu toujours en colère contre lui à cause de Danielle ?

— C'est plus que ça.

— Quoi ?

Je me rappelai qu'Evan avait dit que l'équipe de football lui fournirait un alibi, que mes accusations à son endroit allaient se retourner contre moi. Qui Josh croirait-il ? Une nouvelle petite copine ou son meilleur ami d'enfance ? Je ne désirais pas avoir à passer ce test, du moins pas avant d'avoir de solides preuves.

— Ce n'est pas une personne que je peux respecter, répondis-je en enroulant mes doigts dans la douce main de Josh. Tu sais, le genre de respect que j'ai pour toi. Peut-être suis-je un peu égoïste mais, lorsque nous sortons ensemble, je préfère être seule avec toi.

— Je ne peux te contrarier, mais tente au moins d'avoir de bons rapports avec Evan. Fais-le pour moi.

Je haussai les épaules, ce qui ne signifiait ni oui ni non.

Au cours de la première période de cours, je me contorsionnai sur mon siège ; à tout moment, je redoutais d'entendre une annonce à propos des graffitis... une annonce qui ne vint jamais. Alors, pendant la pause, je fis un détour par la salle des fournitures et découvris que les murs étaient propres. En observant de plus près, je sentis des odeurs d'ammoniaque et de peinture. Le concierge avait-il tout nettoyé et omis de dénoncer le crime ? Le directeur planifiait-il de poser des questions et de fouiller les casiers une autre fois ? Au moins, j'étais hors de danger de ce côté-là. Evan inventerait-il un nouveau moyen pour diriger les doutes vers moi ?

Je devais découvrir ce qui se passait, et je connaissais exactement la personne à qui il fallait le demander. Après avoir dit à Josh que je ne mangerais pas avec lui le midi car je devais travailler au journal, je trouvai Manny occupé dans la salle des ordinateurs ; il mettait la touche finale au numéro hebdomadaire de l'*Écho de Sheridan*.

— Hé, Binnie ! lança-t-il en levant les yeux de ses papiers. Tu viens secourir un gars qui se noie dans une mer de travail ? L'édition est en retard.

— Peut-être le ferais-je plus tard, lui répondis-je en tirant une chaise pour m'asseoir à côté de lui. As-tu entendu quelque chose à propos de nouveaux actes de vandalisme ?

— Rien du tout, dit-il à voix basse. Que se passe-t-il ?

— Trop de choses.

Je racontai tout, enfin presque. Je ne mentionnai pas l'aide de Dominic, laissant Manny penser que je m'étais évadée de la salle des fournitures par mes propres moyens.

— Pas Evan Marshall ! s'exclama Manny. Je n'arrive pas à y croire ! Il est fantastique sur un terrain de football. Es-tu sûre qu'il soit coupable ?

— C'est tellement la réaction typique d'un mâle, rugis-je en me mettant les mains sur les hanches et en le foudroyant du regard. Le fait que quelqu'un soit bon dans les sports n'en fait pas pour autant un saint. Evan s'imagine avoir une intelligence supérieure et se vante de vouloir monter un coup contre moi. Il est coupable, c'est certain. J'ai même des ecchymoses aux genoux pour le prouver.

— O.K., O.K., convint Manny en pianotant sur le bureau. Je suis abasourdi, mais je te crois. Ça va faire une histoire fantastique. Dès que j'aurai des preuves solides, je la publierai.

— Danielle sait que c'est vrai et moi aussi. N'est-ce pas suffisant ?

— Pas si tu veux convaincre Dunlap. À part le fait qu'il soit un grand partisan des sports de l'école, il est intime avec les parents d'Evan. Ils jouent au golf ensemble.

— Mais Evan est coupable. Il est sorti avec Danielle seulement pour se servir d'elle. Elle en est tombée si amoureuse qu'elle aurait fait n'importe quoi pour lui, ce qui inclut le vol d'un examen. Par contre, lorsque les choses ont mal tourné, il a dû chercher le test par lui-même, et il doit avoir attaqué le concierge pour se protéger.

— Le concierge n'a pas été aussi blessé qu'il l'a laissé entendre, expliqua Manny. Il est sorti de l'hôpital et a été mis à la porte de l'école parce que des fournitures volées ont été trouvées dans son casier. La commission scolaire est gênée qu'un de ses employés se soit avéré être un voleur et elle me refuse la permission de publier l'histoire.

— Mais c'est de la censure !

— À qui le dis-tu ! se plaignit Manny. Je pense à publier une édition spéciale dans un journal parallèle ou à vendre l'histoire au journal régional.

— Que faisons-nous au sujet d'Evan ? Il a admis sa culpabilité, mais je n'ai pas de preuves.

— Rien, sauf si tu veux devenir un témoin officiel.

Manny me regarda droit dans les yeux.

— Tu devrais tout révéler, continua-t-il. À propos de Danielle, d'Evan… et de toi.

Je sentis la couleur disparaître de mon visage.

— Et me trouver une autre école où les gens se ligueraient contre moi ? Là où personne ne me croirait et où on m'accuserait d'être folle ? Je ne peux subir ça une autre fois.

— Tu n'auras pas à le faire, Binnie, me dit Manny en souriant. Certaines personnes pensent que je suis superficiel et, la plupart du temps, ça ne me dérange pas parce que c'est vrai. Toutefois, je n'écrirais pas une histoire qui peut faire du mal à une amie. Donc, l'enquête se termine ici.

— Merci, mais c'est tellement injuste.

Je m'effondrai sous la défaite.

— Evan commet des actes de vandalisme, m'agresse, essaie de me prendre au piège et s'en tire. Il aura une note parfaite à son examen de bio et il marquera probablement le touché gagnant lors de la prochaine partie. De plus, grâce à l'appui d'un célèbre dépisteur de football, il recevra une bourse d'études d'un quelconque grand collège. Il gagne sur toute la ligne.

— Hum, peut-être pas sur toute la ligne, répliqua Manny en penchant la tête, pensif. Blakenship n'est-il pas son professeur de bio ?

— Je crois que oui. Pourquoi ?

Manny esquissa un sourire victorieux.

— Parce que monsieur Blakenship est un fanatique de la chronique de Manny, le voyant. Ça me donne une idée.

— Laquelle ? m'informai-je avec prudence.

— Une idée qui demandera quelques changements à l'édition de cette semaine de l'*Écho de Sheridan* et les talents spéciaux de mes deux voyantes préférées.

— Je ne sais pas pour Thorn mais, moi, j'embarque.

L'espoir jaillit en moi.

— Alors, quand commençons-nous ?

— Tout de suite.

* * *

Après le cours, je ne laissai pas Josh me ramener à la maison en voiture comme d'habitude. Je marchai en compagnie de Thorn et Manny jusqu'à un édifice en briques au bout de la rue Maple, où se trouvait une boutique de friandises appelée « La chasse aux bonbons ». Quand je franchis la porte, des clochettes de cristal carillonnèrent et une délicieuse odeur de chocolat flotta dans l'air. Je ne pouvais croire que je demeurais à Sheridan Valley depuis des mois sans connaître cette alléchante boutique. Des comptoirs vitrés s'alignaient le long de la joyeuse pièce décorée en blanc et rouge ; ils mettaient en valeur des chocolats de toutes les formes et de tous les parfums. Je suis certaine d'avoir pris cinq kilos ce jour-là, simplement en respirant l'odeur sucrée.

La propriétaire, une femme dans la trentaine, était habillée d'une façon très classique ; elle portait un pantalon beige, une blouse jaune et des talons hauts. Elle salua Thorn par une embrassade.

— Il était à peu près temps, Thorn. J'avais le sentiment que tu passerais. Alors, j'ai fait une recette de boules au caramel et aux noix.

— Merci, Velvet.

Thorn fit un geste dans notre direction.

— Ce sont mes amis, Sabine et Manny. Les boules vont devoir attendre. Nous sommes ici pour ta spécialité.

— J'espère que c'est du chocolat, déclarai-je en regardant tout autour.

Un étalage de fondants marbrés au chocolat en forme de petits souliers attira mon attention. À côté, il y avait une boîte en verre qui contenait des pommes au caramel et aux pépites de chocolat. Je n'arrivais pas à comprendre ce que nous faisions dans cet endroit mais, depuis toujours, j'avais comme leitmotiv « Ne refuse jamais du chocolat. »

— La plupart des gens visitent l'endroit pour le chocolat, expliqua Thorn. Quant à moi, je préfère la pièce spéciale.

— J'invite seulement les clients d'exception dans l'arrière-boutique, fit remarquer Velvet, avec une touche de mystère.

Elle emprunta un petit couloir et nous conduisit jusqu'à une pièce sombre. Une fois la lumière allumée, mes yeux sortirent presque de leur orbite. Nous venions de passer des friandises sucrées aux délices du Nouvel Âge : des cristaux, des huiles, des chandelles, des pierres, des livres, des bijoux et bien d'autres choses.

— Est-ce que ma grand-mère connaît cet endroit ? demandai-je en caressant des doigts une douce pierre d'ambre et en admirant une boîte ornée de coquillages.

— Quel est le nom de ta grand-mère ? demanda Velvet.

Sa voix, aux intonations mélodieuses, avait un soupçon d'accent britannique. Cette dame semblait si correcte et si sophistiquée ; elle aurait été parfaite pour diriger une réunion de parents d'élèves ou pour servir le thé.

— Nona Wintersong.

— Ah !

Le visage de Velvet s'éclaira d'un large sourire.

— Nona adore l'odeur du lilas et elle a une faiblesse marquée pour les choux à la crème des dieux. Ainsi, tu es la petite-fille dont elle m'a parlé. Tu as ses yeux, même si les tiens sont plutôt vert émeraude que noisette.

Je rougis un peu, puis me tournai vers Manny.

— Dégoûtant ! s'écriait-il au même moment alors qu'il sentait une chandelle jaune. De quoi diable s'agit-il ? Ça sent le vomi.

— Senteur de pâte à gâteau, expliqua Velvet, amusée. Préférerais-tu celle des petites baies ou du chèvrefeuille ?

— Nous verrons plus tard.

Manny se détourna de l'étalage de chandelles et je le suivis vers une étagère de livres.

— Alors, que fait-on ici ? demandai-je à voix basse.

— Des courses, et ça semble prometteur, répondit Manny en tirant d'une tablette un volume intitulé *La maîtrise des éléments de la chance*.

À l'extrémité de la pièce, Thorn admirait un collier clouté en or qui ressemblait étrangement à celui en argent qu'elle portait. Sur un autre comptoir, il y avait des rangées de pots bizarres, de boîtes et de sachets. Une corde colorée d'épices séchées était drapée autour de la fenêtre, comme un rideau.

— As-tu obtenu l'information ? me demanda Manny en feuilletant les pages du livre.

— Ouais. Mais il n'a pas été facile de retracer Danielle. Quand j'ai découvert que l'éducation physique était son dernier cours de la journée, je m'y suis rendue et je l'ai attrapée juste avant qu'elle ne quitte l'école. Elle m'a informée que l'examen de bio est prévu pour ce vendredi et qu'Evan en avait une copie. Danielle dit que le contrôle sera probablement à choix multiple, comme le précédent.

— Encore mieux pour tricher.

— Alors, comment empêcherons-nous Evan de le faire ?

— Monsieur B changera le test. Evan pense peut-être détenir toutes les réponses, mais celles qu'il donnera seront toutes fausses.

— Blakenship ne sera pas facile à convaincre, répliquai-je en me penchant pour sentir une chandelle aux petites baies. Il n'a pas modifié sa coupe de cheveux ni acheté de nouveaux vêtements depuis 1978. Je doute qu'il soit enclin à rédiger un nouvel examen.

— Il le fera parce qu'il est très superstitieux, expliqua Manny. Il prend congé tous les vendredis treize et il est prêt à marcher un kilomètre pour éviter un chat noir. Nous ne pouvons tout simplement pas lui déballer d'un seul trait qu'Evan a l'intention de tricher sans lui préciser comment nous le savons, ce qui pourrait devenir compliqué. Alors, nous créerons un examen malchanceux.

Je soupirai et m'effondrai sur le coussin d'un petit banc.

— Blakenship ne croira jamais ça.

Manny s'assit près de moi et déposa sur ses genoux le livre traitant de la chance.

— Ne mets pas en doute les pouvoirs de persuasion de Manny, le voyant. J'ai convaincu Pauline Shoemaker de m'accompagner au bal d'hiver l'an dernier, même si elle sortait avec quelqu'un d'autre. Et, afin d'amasser des fonds pour une bonne cause, plutôt que d'offrir une télévision gratuite ou des billets de concert, j'ai fait tirer au sort un petit chaton maigrelet et abandonné, et j'ai encaissé plus de mille dollars. Persuader monsieur B sera facile.

— Comment peut-on rendre un test malchanceux ?

— Quand monsieur B lira la chronique de Manny, le voyant, demain matin, il découvrira une prédiction avertissant une personne en position d'autorité portant une patte de lapin et adorant un certain Zinc que vendredi amènera la mauvaise fortune pour elle, à moins que certaines précautions ne soient prises.

— Zinc ? Comme le minéral ?

— C'est aussi le nom du basset de monsieur B.

Manny émit un petit rire.

— En tant que reporter et journaliste accrédité, je connais toutes sortes de renseignements utiles au sujet des gens. De plus, je peux prédire les comportements ; par exemple, lorsque monsieur B lira ma chronique, il voudra savoir quelles précautions il devrait prendre pour se prémunir contre la malchance.

— Il viendra donc te voir pour obtenir des conseils ?

J'aimais cette idée folle, même si j'avais de sérieux doutes quant à son succès.

— Exactement. Lorsqu'il sera là, je lui offrirai une amulette porte-bonheur et l'avertirai à propos de papiers classés dans un ordre malchanceux.

— C'est trop énigmatique. Dis-lui simplement qu'Evan a l'intention de tricher.

— Monsieur B est superstitieux, pas stupide. Je ne peux pas accuser l'un de ses étudiants sans une preuve solide. Mais ne t'en fais pas, j'ai trouvé comment j'allais m'y prendre.

Souriant avec confiance, Manny pointa une liste d'ingrédients servant à éloigner la malchance qui étaient listés dans le livre qu'il avait lu.

— Monsieur B ne sera impressionné que si je lui donne une véritable amulette porte-bonheur. Nous aurons donc besoin d'une pincée d'os écrasé, d'herbe aux sorciers et d'extrait de coccinelle. Il ne nous restera qu'à réduire le tout en poudre et à le déposer dans une petite pochette en coton.

Au cours de la séance de magasinage la plus étrange de ma vie, nous trouvâmes tout ce qu'il nous fallait, sauf l'extrait de coccinelle. Or, Velvet nous assura que l'extrait de ver était son substitut générique. Quand nous eûmes terminé, nous avions un sachet porte-bonheur bien gonflé et à l'odeur bizarre.

Manny acheta aussi le livre sur la malchance.

— C'est fascinant, dit-il en pointant une page avec une photo effrayante d'un crâne et d'un chat maigre. Saviez-vous que les marins gardaient des chats sur leurs bateaux pour la chance et que quelques-unes des superstitions à propos des chats noirs remontent à l'époque du roi Charles I ?

Je ne l'écoutai qu'à demi et je haussai les épaules. Mon attention était rivée à l'extrémité de la pièce où Thorn murmurait quelque chose à Velvet. J'ai cru que Velvet lui donnait un numéro de téléphone quand je l'entendis prononcer les chiffres « quatre » et « dix », mais il se pouvait que je me trompe. Il y eut d'autres murmures, puis Thorn suivit Velvet dans la salle à bonbons.

Quand Thorn réapparut quelques minutes plus tard, elle était seule.

— Que se passe-t-il ? voulus-je savoir.
D'où viens-tu ?

Ses lèvres violettes s'étirèrent pour dessi-
ner un sourire mystérieux.

— J'étais avec Velvet.

— À quoi faire ?

— À faire un mélange pour Blakenship,
répondit Thorn.

— Quoi ? demanda Manny en lui jetant
un regard perplexe. Ne sommes-nous pas
venus que pour assembler un sachet porte-
bonheur ?

— C'est un petit extra, avança Thorn en
tendant à Manny un petit objet enveloppé
dans du papier d'aluminium. C'est fragile,
manie-le avec délicatesse. Et ne l'ouvre PAS.

— Qu'y a-t-il à l'intérieur ? s'enquit
Manny.

— Un secret, répondit Thorn en faisant
semblant de fermer ses lèvres à l'aide d'une
fermeture à glissière.

— Donne-nous un indice, la suppliai-je.

— O.K., mais un tout petit.

Manny et moi nous approchâmes plus
près pour écouter.

— Ça ne marchera pas à moins qu'on le brise, expliqua la gothique. Après, si on le souhaite, on peut le manger.

Ses yeux ombrés de khôl brillaient.

— Et c'est délicieux !

25

Le lendemain, la pause du midi fut une réelle torture. Josh me convainquit de me joindre à ses amis dans la cafétéria, ce que j'acceptai avec réticence. Le fait d'être assise à la table en face d'Evan me donnait l'impression que chaque bouchée de mon sandwich goûtait le carton.

Evan jouait avec moi comme un chat au ventre plein s'amuse avec une souris prise dans un coin. Il souleva le sujet d'un rendez-vous à quatre, puis prétendit être blessé lorsque je refusai la proposition.

— C'est dommage, dit-il en ayant l'air sincèrement désolé. Ai-je fait quelque chose qui t'a offensée ?

Il a eu le culot de me regarder dans les yeux en s'exprimant ainsi. J'aurais donné n'importe quoi pour lui répondre avec honnêteté, mais Josh nous observait.

— Bien sûr que non, mentis-je.

— Parfait ! Planifions donc un autre rendez-vous à quatre. Tu peux même choisir le film.

— C'est si généreux de ta part, répondis-je à travers mes lèvres serrées.

— Je suis simplement un bon gars.

Evan se mit à rire, puis il se tourna vers Josh, lui rappelant des souvenirs communs qui m'excluaient.

Enfonçant une dernière fois le couteau dans la plaie, il me regarda.

— Alors, crois-tu qu'ils finiront par trouver qui a saccagé l'école ? me demanda-t-il sur un ton plein de sollicitude.

— Je ne sais pas, grommelai-je.

Ainsi, Evan avait l'air du bon gars alors que, moi, je donnais l'impression d'être une idiote égoïste. Je dus faire preuve d'un grand sang-froid pour ne pas lui lancer mon repas à la figure.

« Tu ne gagneras pas toujours, voulus-je crier à Evan. Tout le monde n'est pas subjugué par ton sourire effronté et ta finesse au football. Quand tu pousses les gens à bout, ils te poussent à leur tour et ils poussent fort. »

Je croisai les doigts sous la table et pensai au plan de Manny. L'*Écho de Sheridan* était partout dans l'école et, grâce à Manny, le voyant, les murmures des élèves curieux se faisaient entendre.

* * *

Lors de mon dernier cours de la journée, je débordais de curiosité.

— Que s'est-il passé ? demandai-je à Manny. Quelles sont les nouvelles ? Monsieur B t'a-t-il déjà parlé ?

— Chut !

Manny mit son doigt sur ses lèvres, puis me guida vers le fond de la pièce.

— Hé non ! poursuivit-il. Monsieur B ne s'est pas manifesté.

— Pourtant, il a eu toute la journée.

— Tu crois qu'il va discuter d'une chose aussi personnelle en présence de témoins ? Il attendra que l'école finisse. Sois patiente.

Pourquoi tout le monde me demandait-il de faire preuve de patience ? Avais-je le mot « impatience » tatoué sur le front ? Sûrement pas, mais je voulais que les choses arrivent vite… tout de suite.

Après que la cloche eut sonné et qu'il ne resta que le professeur, Manny et moi dans le laboratoire informatique, devinez qui s'est présenté. Lissant son veston criard en polyester, monsieur Blakenship se racla la gorge avec nervosité. Puis, il se dirigea à grands pas vers Manny et tous deux se retirèrent dans un coin tranquille de la pièce.

Je disparus derrière un grand écran d'ordinateur suffisamment près pour entendre monsieur B se confier à Manny.

— …mon chien Zinc. Je savais que le message m'était destiné. Ta dernière chronique a tapé droit dans le mille avec sa prédiction disant que le vert signifiait « argent ». J'ai trouvé un billet de loterie de dix dollars le lendemain. Donc, je ne peux ignorer ceci. Tu vas m'aider, n'est-ce pas ?

— Pas de problème, déclara Manny sur une note doucereuse. Je vous attendais.

— Stupéfiant ! Tu es vraiment un jeune homme doué.

— C'est tout naturel, fit simplement Manny avec humilité.

J'en fus presque malade.

— Quelles précautions dois-je prendre ? demanda monsieur B.

— Prenez cette amulette, proposa Manny. Elle éloignera la malchance.

— Drôle d'odeur, lança Blakenship en plissant le front après avoir reniflé l'amulette. Pourquoi aurais-je besoin de ceci puisque j'ai déjà une patte de lapin ?

— On ne peut jamais avoir trop de chance. Et, vous en aurez besoin... il y a quelque chose... l'image d'une salle de classe...

Manny se posa une main sur le front.

— Je vois... un calendrier de bureau avec une date... demain..., continua-t-il sur un ton mélodramatique. Vous distribuez des papiers...

— Je fais ça tous les jours, dit monsieur B en rejetant les paroles de Manny d'un signe de tête négatif.

— Mais, il y a quelque chose de différent à propos de ces papiers... désordre... danger.

— De quoi ? De me couper avec le papier ?

— Ne faites pas de blagues.

Manny eut un frisson, puis il rencontra le regard grave du professeur.

— Le sachet offre de la protection, mais vous devrez aussi faire des changements.

— Je ne comprends pas.

— Non ?

Manny essuya la sueur sur son front.

— Bien... heu... peut-être que ceci aidera.

Il tendit le mystérieux paquet de Velvet.

Assise sur le bout de ma chaise, j'observais avec impatience alors que le professeur déchirait l'emballage de papier d'aluminium.

— Un biscuit chinois ? dit monsieur B en plissant le front, perplexe. Comment un biscuit peut-il empêcher la malchance ?

— Comment le saurais-je... je veux dire, bonne question, admit Manny. Heu, tout sera révélé quand vous lirez le message que contient le biscuit.

Le professeur de bio brisa la friandise en deux moitiés égales. Une bande de papier roulé vola sur ses genoux. Pendant que Blakenship lisait le minuscule message, son expression passa de la perplexité à la compréhension.

— Oui, oui. À présent, je vois, murmura-t-il en empochant le papier tout en se levant pour partir.

« Ne le rangez pas ! voulus-je crier. Lisez-le à voix haute. »

— Que disait le message ? demanda Manny, trop curieux pour se taire.

— Comme si j'avais besoin de te le dire, rigola Blakenship en lui tapant légèrement sur l'épaule. Merci ! Continue ton bon travail avec ta chronique, fiston, tu as été d'un grand soutien. Et garde ceci, je ne mange pas de sucre.

Il lança le biscuit brisé à Manny et sortit de la salle de classe.

— Qu'est-ce qui vient de se passer ? demandai-je en sortant rapidement de ma cachette.

— Je n'en suis pas sûr, répondit Manny.

— Changera-t-il l'examen ?

— Nous le découvrirons demain.

Manny soupira, puis il fourra une moitié du biscuit dans sa bouche et me lança l'autre.

Thorn avait raison à propos d'une chose : c'était une délicieuse surprise.

* * *

— Tu ne peux l'éviter éternellement, me sermonna Nona ce soir-là.

Nous avions fini de dîner et, au lieu de se rendre dans son cabinet de travail, Nona m'entraîna au salon pour une « conversation sérieuse ». Assises sur le divan, nous nous faisions face, comme deux adversaires devant un jeu d'échecs. Je me sentais comme un pion coincé par une reine lorsqu'elle me tendit le téléphone.

— Ça dure depuis assez longtemps, déclara fermement ma grand-mère. Ta mère a ses défauts, mais c'est ma fille unique et je n'accepterai pas de la voir traiter de cette façon.

— Je ne sais pas de quoi tu parles.

— Tu ne l'as pas rappelée.

— J'imagine que j'ai oublié.

— C'est moi, la personne qui perd la mémoire ici, dit Nona avec un sourire ironique. Pas toi.

— Elle me déteste.

— Ce n'est pas vrai, chérie. Ta mère t'aime, c'est ton don qui l'effraie. Elle se sent menacée par le monde de l'Au–delà, et elle préfère prétendre qu'il n'existe pas. Elle ne changera pas. Alors, essaie de l'accepter comme elle est.

— C'est elle qui ne m'accepte pas comme je suis.

— Vous devez discuter de vos différences.

— Je n'ai rien à lui dire.

— Elle, elle a quelque chose à te dire.

— Quoi ?

Le téléphone était froid dans ma main.

— Mes talents intuitifs sont un peu rouillés ces temps-ci, répondit Nona. Compose le numéro et découvre-le par toi-même.

— Elle veut probablement que j'arrête de parler avec Amy et Ashley parce qu'elle pense que j'ai une mauvaise influence sur elles.

Nona m'entoura de ses bras.

— Donne-lui une chance, suggéra-t-elle avec douceur.

Après avoir lâché un grand soupir, je composai le numéro que je connaissais trop bien.

Le téléphone sonna et sonna, mais personne ne répondit. Quand le répondeur s'enclencha enfin, je raccrochai brutalement le combiné.

— Elle n'est pas à la maison, dis-je, soulagée. Comme c'est triste.

— Tu aurais pu lui laisser un message.

— Oups, j'ai oublié, mentis-je en haussant les épaules en toute innocence. J'essaierai
à nouveau plus tard.

Nona me fixa d'un air entendu, mais
laissa tomber.

Pour l'instant, je bénéficiais d'un sursis.

Impasse.

* * *

Mercredi arriva et tout se passa sans drame.
L'école, les amis, les devoirs. Les trucs
habituels.

Je réussis à éviter toute autre rencontre
avec Evan. Thorn était absente le mercredi et
le jeudi ; elle visitait le palais de justice du
comté de Sacramento avec sa classe dans le
cadre de son cours de politique. Nous
n'avions donc pu la questionner à propos du
biscuit chinois.

Le jeudi après-midi, j'eus un sentiment
persistant que quelque chose n'allait pas. Je
réalisai que Danielle n'était pas venue à l'école
depuis deux jours. Pendant la pause du midi,
je menai une enquête et découvris qu'elle était
encore malade. L'était-elle vraiment ou
évitait-elle Evan ? Je sympathisais avec elle,
mais je me demandais comment elle pouvait

s'absenter si fréquemment de l'école. Ne prenait-elle pas ses études au sérieux ? Une pointe de malaise s'installa au creux de mon estomac alors que je me rappelai l'image d'une libellule ruisselante de sang. Si Danielle s'absentait une journée de plus, je me rendrais personnellement la voir chez elle pour m'assurer qu'elle se portait bien.

* * *

— Quel était le message dans le biscuit de fortune ? demandai-je à Thorn quand je la rencontrai enfin le vendredi pendant la pause du midi.

— Ne l'as-tu pas lu ? s'enquit-elle.

— Non mais, peu importe, il a causé une vive impression à monsieur B.

— Bien. Quand Velvet m'a appris que je pouvais créer mon propre biscuit chinois, comment aurais-je pu résister ? J'ai donc choisi un message court et simple.

— Quoi ?

— Trois mots, répondit Thorn en souriant. « Changez le test. »

« Il n'y a aucune subtilité chez Thorn », pensai-je avec admiration. La gothique était extravagante dans le choix de ses vêtements mais, en son for intérieur, elle fonctionnait avec le gros bon sens.

— Simple et droit au but, précisai-je. Ça pourrait bien marcher.

— Ça *marchera*. N'émets pas d'ondes karmiques négatives car elles reviendront te hanter. Ce dont tu as besoin, c'est d'un renforcement positif.

Thorn leva la main pour prendre une de ses longues boucles d'oreilles en forme d'hameçon de couleur mauve.

— Tiens.

— Pour quoi faire ? m'enquis-je en regardant ma copine avec méfiance.

— Pour la chance.

Puis, la cloche sonna et Thorn partit en hâte. Je baissai les yeux vers la boucle d'oreille qu'elle avait posée dans ma main. Je ne la mettrais pas, bien sûr. Je portais uniquement d'élégants boutons d'or ou des anneaux. Malgré tout, il y avait quelque chose de merveilleusement étrange à propos de ces pierres mauves éclatantes attachées à un hameçon argenté et ornées d'une plume enroulée au centre. Thorn ne se préoccupait pas de suivre la mode, de ce que les gens pensaient, et les seules règles qu'elle suivait étaient les siennes.

Faire preuve d'un peu d'excentricité dans ma tenue vestimentaire pourrait être amusant.

Quand je rencontrai Josh pour le lunch, il pointa la boucle d'oreille en hameçon qui se balançait à mon oreille gauche.

— Pourquoi ça ? Est-ce que c'est déjà l'Halloween ?

— Non, j'essaie simplement quelque chose de différent.

— En quel honneur ?

Josh pencha la tête pendant qu'il m'étudiait.

— Peut-être que je faisais semblant d'être normale, expliquai-je, mais qu'au fond de moi j'ai un côté fou et dangereux. Tu sais, mes secrets te scandaliseraient et te troubleraient.

— Il n'y a aucun danger.

— Ouais, j'imagine que tu as raison, dis-je, un peu déçue.

— Tu es parfaite comme tu es, me rassura Josh en donnant un petit coup sur ma boucle d'oreille pour s'amuser. Alors, ne change rien. Si tu veux porter un hameçon, c'est super. Je vais simplement devoir me mettre à la pêche.

— Tu m'as déjà attrapée.

— Et je ne te laisserai pas partir.

Tout en souriant, nous entremêlâmes nos doigts et nous dirigeâmes vers notre endroit préféré pour manger, à l'écart des bâtiments, une place gazonnée avec un grand saule pleureur dont les branches semblaient se déployer comme un parapluie. J'étais soulagée que Josh n'ait pas voulu aller à la cafétéria où, une autre fois, j'aurais eu à faire face à Evan.

À peine quelques minutes plus tard, Evan se pointa.

— Josh ! s'exclama-t-il en nous poussant pour s'asseoir entre nous. Je t'ai cherché partout.

De toute évidence, son calme apparent avait volé en éclats.

— Que se passe-t-il ? demanda Josh.

— Tout est foutu, affirma Evan en se glissant les doigts dans ses cheveux foncés emmêlés. Tu dois m'aider.

Josh déposa sa pomme et mit une main réconfortante sur l'épaule de son ami.

— Qu'est-ce qui s'est passé ?

— Blakenship ne me laissera pas jouer le prochain match ! Il dit que je ne fais plus partie de l'équipe ! De plus, un dépisteur sera présent au prochain match ! Je ne veux pas manquer ma chance ! Je méritais un A, mais Blakenship m'a recalé !

— Ton examen de bio ? devina Josh. Celui qui était si important à tes yeux ?

— Ouais, acquiesça Evan. Je connaissais toutes les réponses et j'ai été le premier à remettre ma copie. Puis, avant même que le cours soit terminé, Blakenship est venu me voir avec mon examen couvert de marques rouges. Je ne comprends pas, qu'est-ce qui n'a pas fonctionné ?

Je mordis dans un biscuit aux pépites de chocolat pour m'empêcher de sourire. Le chocolat était succulent, mais la vengeance l'était davantage.

— C'est nul, mec, je l'avoue, fit Josh en secouant la tête en signe de sympathie. Peut-être trouveras-tu une solution avec ton professeur, par exemple faire un examen de reprise. Je vais t'aider à étudier.

— Oublie ça, Josh ! Le temps presse. Le dépisteur ne sera ici qu'une fois. C'est la seule partie qui compte. Que puis-je faire maintenant ?

Evan baissa la tête, l'air si misérable que, si je ne l'avais pas tant détesté, j'aurais pu avoir pitié de lui. Il avait peut-être commis des actes de vandalisme sans être importuné, mais il n'avait pas réussi à me prendre au piège et, maintenant, il n'était plus membre de sa précieuse équipe.

Je devais sourire car tout à coup Evan se tourna vers moi et me pointa du doigt.

— Toi ! grogna-t-il. Je ne sais pas comment, mais c'est toi qui as fait ça !

— Moi ? m'exclamai-je en clignant des yeux en toute innocence.

— Tout est de ta faute ! pesta Evan. Tu ferais n'importe quoi pour me causer des problèmes. Tu es jalouse que moi et Josh soyons de si proches amis.

— Comment pourrais-je avoir quoi que ce soit à voir avec le fait que tu aies raté un examen ?

— Tu dois l'avoir dit à Blakenship.

— Je ne sais pas de quoi tu parles, répliquai-je avec calme.

— Menteuse ! me lança Evan en agitant un doigt devant mon visage. Tu es derrière ça !

— Calme-toi, mec, l'avertit Josh en abaissant doucement la main d'Evan. De quoi parles-tu ?

— Elle n'attire que des ennuis. C'est une manipulatrice, une traîtresse, une sournoise, une petite vac…

— Fais attention ! répliqua Josh. Je ne sais pas quel est ton problème, mais tes remarques sont tout à fait déplacées.

— Regarde-la ! Ne vois-tu pas ? Elle est heureuse que tout soit foutu pour moi. Elle m'en veut.

Les yeux d'Evan devinrent deux minces interstices.

— Tu ne peux rien croire de ce qu'elle dit, poursuivit le garçon. Elle inventerait n'importe quoi pour te détourner de moi. Elle est même plus folle que Danielle, et Danielle est vraiment une nana dérangée.

— Ça suffit.

Josh serra les poings. Evan avait l'air bouleversé.

— Josh, tu me connais.

— Ouais, je te connais, déclara Josh en faisant une grimace. Trop bien ! Je peux excuser la plupart des choses que tu fais, mais tu n'as aucun droit de t'en prendre à Sabine.

— Tu prends parti pour elle plutôt que pour moi ?

— Il semble que oui, répondit froidement Josh.

— Qu'est-ce qu'en penserait ton frère ? s'écria Evan en lança un regard furieux vers Josh.

Je pus voir Josh se raidir. Les deux jeunes hommes se faisaient face, les lèvres serrées, et ils étaient furieux.

— Très bien ! déclara sèchement Evan à Josh en détournant les yeux.

Puis, il me jeta un regard foudroyant.

— Protège tes arrières, Sabine. La partie n'est pas terminée.

Evan partit en furie.

J'avais peut-être gagné cette bataille, mais la guerre venait tout juste de commencer. Je venais de me faire un dangereux ennemi.

26

PENDANT LA PREMIÈRE PÉRIODE DE CLASSE, JE félicitai Manny.

— Ça a marché. Evan a échoué et il est expulsé de l'équipe jusqu'à ce que ses notes s'améliorent, ce qui pourrait prendre pas mal de temps sans Danielle pour faire ses devoirs.

— Ça n'aurait pas pu arriver à un gars plus méritant, déclara Manny. Ne t'avais-je pas dit que mes pouvoirs de persuasion étaient infaillibles ?

— Le biscuit chinois de Thorn a été bien utile.

— Tout ça faisait partie de mon plan général, lequel a merveilleusement fonctionné, même si c'est moi qui l'affirme.

— Et tu ne te gêneras pas pour le répéter encore et encore… fis-je pour me moquer.

— Pourquoi nier le génie ? Mais, toi et Thorn, vous avez aussi contribué à la réussite de mon plan. Nous formons une équipe extraordinaire, comme les anges de Charlie[4]. Je suis Charlie et vous êtes mes « anges ».

— Thorn effacerait ce sourire de ton visage d'un coup de poing si elle entendait ce que tu dis. Il n'y a rien d'angélique en moi, sauf que parfois je vois des anges.

— Comme maintenant ?

Manny tourna vivement la tête de tous côtés, comme s'il s'attendait à voir apparaître subitement un être ailé derrière lui.

— Non, fis-je en secouant la tête. Cependant, Opal dit que les gens qui s'attirent nombre d'ennuis ont habituellement beaucoup d'anges pour prendre soin d'eux.

4. Référence à la série télévisée américaine *Charlie's Angels* (Drôle de dames).

Alors, tu dois en avoir au moins une douzaine.

Manny éclata de rire si bruyamment que
tout le monde se tourna vers lui. Impudique,
il se contenta de faire la révérence et de saluer
la classe. Pendant ce temps, je me faisais
petite sur ma chaise et me cachais derrière le
tout dernier article renversant de l'*Écho de
Sheridan* que j'avais révisé et qui s'intitulait
« Professeurs aux prises avec la mauvaise
haleine : le rince-bouche est-il la solution ? »

Après l'école, je m'arrêtai à mon casier et
me sentis un peu abandonnée ; il n'y avait
personne pour m'y rencontrer. Josh était parti
plus tôt pour se rendre à un rendez-vous chez
le dentiste et Penny-Love lançait des hourras
à la séance d'entraînement des pom-pom
girls.

En marchant vers la maison, je vis beaucoup de visages familiers, mais aucune personne avec qui j'aurais eu envie d'être. Puis,
j'aperçus une fille aux cheveux noirs qui
s'éloignait de l'école avec une unique boucle
d'oreille en forme d'hameçon qui se balançait
au rythme de ses pas.

— Thorn ! l'interpellai-je, me dépêchant
de la rattraper. Attends un peu !

Elle stoppa et sourit à pleines dents en me voyant.

— Hé, Sabine. J'espérais te rencontrer. J'ai su pour Evan.

— Les nouvelles vont vite.

Thorn avait les yeux pétillants sous son ombre à paupières scintillante.

— Particulièrement lorsqu'elles concernent le sportif le plus populaire de l'école. Tout le monde parle de ce pauvre Evan qui a échoué la bio et qui n'est plus membre de l'équipe de football.

— Quelle tragédie, répliquai-je, feignant la sympathie.

— Tout ça après qu'il eut travaillé si fort pour demeurer dans l'équipe, fit remarquer Thorn. Il a dû saccager l'école, peinturer des murs, copier un examen, assommer le concierge et…

— …essayer de me piéger, dis-je pour conclure.

— Ce qui s'est retourné contre lui.

— Même Josh sait qu'Evan a des problèmes. Il est trop loyal pour l'abandonner mais, à l'avenir, il ne se laissera plus embobiner par les mensonges. Fini les rendez-vous à quatre.

— Il faut célébrer, dit Thorn en ajustant les sangles de son sac à dos. Veux-tu aller à La chasse aux bonboms pour manger quelque chose de scandaleusement chocolaté ? Tu prendras tout ce que tu veux. C'est moi qui régale.

— Oh ! tout ça me semble merveilleux !

L'eau me vint à la bouche mais je me souvins qu'aujourd'hui j'avais promis à Nona de revenir à la maison directement après l'école.

— Finalement, je ne peux pas. Nona a besoin de moi pour faire le ménage du printemps.

— Le ménage du printemps en automne ! s'exclama Thorn.

— Nona ne suit pas les règles habituelles. De plus, elle en a tellement fait pour moi que ça ne m'ennuie pas de nettoyer le garde-manger et de dégivrer le congélateur.

— Toute une célébration ! grogna Thorn. Du travail, du travail et encore du travail.

— Par contre, il y a certains avantages, par exemple la crème glacée.

— De la crème glacée ?

— Un emballage de crème glacée « Délice royal » au chocolat avec guimauves, amandes et pépites de chocolat pourrait bien se perdre pendant le dégivrage si quelqu'un ne le mange pas auparavant.

— N'en dis pas plus. Je suis toujours prête à aider une amie.

Thorn me regarda gravement.

— Es-tu certaine, bien certaine, que ça ne te dérange pas d'être vue avec moi ?

— Pourquoi ça me dérangerait ?

J'essayai de ne pas penser à la réaction de Penny-Love à propos du fait que je passais trop de temps avec Thorn.

— Tes amies, les pom-pom girls bon chic bon genre, n'aimeront pas ça, me fit remarquer la gothique.

Elle fit gigoter l'anneau d'argent à son sourcil gauche.

— Tu crois que c'est important pour moi ? lui demandai-je.

— Ce n'est pas le cas ?

— Au départ peut-être un peu, mais plus maintenant, répliquai-je en secouant légèrement ma boucle d'oreille en forme d'hameçon. C'est sympa d'être un peu différente des autres.

— Alors, est-ce que ça veut dire que tu me laisseras teindre tes cheveux en rouge sang et les coiffer en pique ? me taquina Thorn, un sourcil levé, en m'observant.

— Pas si différente que ça, lui fis-je remarquer.

Je la poussai amicalement, puis nous accordâmes nos pas et parlâmes sur le chemin menant à la maison.

À l'entrée de notre allée de garage, nous nous arrêtâmes un instant pendant que je vérifiais le contenu de la boîte aux lettres. Puis, je jetai un coup d'œil à Thorn. Je me demandais ce qu'elle penserait de notre demeure. Il m'avait fallu des semaines avant de trouver le courage d'inviter Penny-Love chez moi et, au départ, elle avait été dégoûtée par la poussière, les mauvaises herbes et l'odeur du bétail. Toutefois, elle ne s'en plaignait plus à présent et elle s'entendait à merveille avec Nona, toujours impatiente qu'elle était d'entendre des histoires de rencontre.

Pendant que nous descendions l'allée de garage, Thorn eut les yeux grands à la vue de la maison de ferme, que j'appelais maintenant mon foyer.

— Je sais que c'est délabré, dis-je avant qu'elle n'ait l'occasion de critiquer. C'est vieux comme le monde et ça a besoin d'un coup de pinceau, mais tout ça coûte tellement cher. De plus, Nona a l'intention de réparer les cadres de fenêtre et les marches brisées de la véranda.

— C'est…c'est… fabuleux ! s'exclama Thorn en secouant la tête.

— Vraiment ?

— Tu as de la chance de vivre à la campagne plutôt que dans un quartier où les voisins sont si près qu'ils nous entendent tirer la chasse d'eau. Tes animaux sont formidables aussi. Est-ce que cet animal aux oreilles pendantes est une chèvre ?

— Ouais. C'est une chèvre de Nubian.

— Il y a tellement de place ici, lança Thorn en allongeant les bras de façon démonstrative. Tu devrais voir la petite boîte dans laquelle je vis. Il n'y a que trois chambres à coucher et j'ai cinq frères et sœurs. Alors, tout cet espace pour seulement deux personnes…

— En fait, nous sommes trois, rectifiai-je en pointant la grange où je pouvais voir Dominic, une hache à la main, en train de fendre du bois.

— Qui est-ce ? Ton frère ?

— Non ! répondis-je, les joues rouges. Il ne fait pas partie de la famille, je le connais à peine. C'est Dominic. Il aide aux menus travaux.

— Ainsi, il vit ici ?

— Pas dans la maison, dans l'appartement au-dessus de la grange.

— Super. Il a l'air d'avoir à peu près notre âge, mais je ne l'ai jamais vu à l'école.

— Il pourrait avoir abandonné ses études ou les avoir terminées un peu tôt, pour ce que j'en sais. J'ai demandé à grand-mère, mais elle refuse de me révéler des détails à son sujet. Ne perds pas ton temps à essayer de lui parler. Il est compliqué et il n'aime pas beaucoup les gens. Il est simplement… différent.

Je changeai de sujet.

— En tout cas, tu vas adorer ma grand-mère. Viens à l'intérieur.

— Je te suis.

Je poussai la grille d'entrée pour l'ouvrir. Au même moment, un éclair blanc fila à toute allure près de moi et me frôla les chevilles. Je ramassai Lillybelle et j'enlaçai son corps soyeux dans mes bras.

— Quels fabuleux yeux dépareillés ! s'exclama Thorn. Elle est belle.

Elle caressa Lillybelle derrière les oreilles et reçut en retour un ronronnement d'appréciation.

— Je voulais un chat, mais ma sœur Meg est allergique, expliqua-t-elle. Alors, nous avons un poisson.

— Lillybelle adore le poisson, dis-je pour la taquiner.

— Dans ce cas, elle n'est pas invitée à venir chez moi. Par contre, toi, tu peux venir quand tu veux.

— Est-ce que ta famille a adopté le look gothique aussi ?

— Vraiment pas !

Pliée en deux, Thorn ne finissait plus de rigoler.

— Ils sont tellement comme la famille Brady[5], expliqua-t-elle. La plupart du temps, j'ai envie de vomir. Ils ne savent pas ce qu'ils doivent penser de moi, et ça me convient parfaitement.

Lillybelle se contorsionna dans mes bras et bondit vers le pâturage au moment où je mis le pied sur la véranda. En ouvrant la porte d'entrée, j'appelai Nona. Elle ne répondit pas. Elle n'était ni dans le salon ni dans son cabinet de travail. Lorsque je regardai dans la cuisine, je trouvai la porte du congélateur ouverte et de la nourriture emballée empilée sur les comptoirs.

— Crème glacée fondue, dit Thorn en ramassant un carton ramolli et dégoulinant de ce qui avait été auparavant un « Délice royal ».

5. En référence à la série télévisée américaine *The Brady Bunch*.

Elle se lécha les doigts.

— C'est encore délicieux.

— Je me demande pourquoi Nona a commencé à nettoyer sans moi.

— Elle a dû être interrompue, conclut Thorn. Ça arrive tout le temps, chez moi.

— Sa voiture est là, lui fis-je observer en jetant un coup d'œil par la fenêtre avant. Elle ne doit pas être loin.

Nous quittâmes la cuisine pour explorer le reste de la maison. Je commençais à m'inquiéter lorsque j'ouvris la porte de la chambre à coucher et que je vis grand-mère endormie.

— Mon père émet de petits ronflements comme elle le fait, murmura Thorn. Elle a l'air tellement paisible.

— Comment peut-elle dormir alors qu'il y a de la nourriture qui se perd dans la cuisine ?

Je fermai la porte avec douceur.

— Elle doit être vraiment fatiguée, affirma Thorn.

— Nona a fait des heures supplémentaires, admis-je. Je vais la laisser dormir et terminer ce qu'il y a à faire dans la cuisine.

Thorn se mit tout de suite à l'ouvrage et m'aida à nettoyer. La plupart des aliments étaient encore gelés, sauf la crème glacée et un sac détrempé qui auparavant contenait des glaçons. Pendant que je rangeais la nourriture dans le congélateur, les doigts se mirent à me piquer en raison du froid glacial. Une fois que j'eus terminé le travail, mes mains étaient presque insensibles.

Je fis couler de l'eau chaude sur mes doigts gelés, ce qui aida un peu. Mes mains se réchauffèrent et picotèrent en reprenant vie. Soudain, le reste de mon corps n'allait pas bien. J'avais mal à la tête et ma vision s'embrouillait. Je fixai le fond de l'évier, hypnotisée par l'eau qui coulait sur mes doigts. L'eau prit une couleur foncée, passant de transparente à rouge sang. Elle se déversait sur l'argenterie et sur les assiettes, tourbillonnant vers le tuyau d'écoulement, puis coulait à flots sur ma peau.

Je poussai un cri et baissai les yeux pour regarder mes mains. Était-ce vraiment du sang ? Ou devenais-je folle ? Mon poignet gauche élançait. Il changea de couleur et, en même temps, une forme sombre avec des ailes se gravait sur ma peau.

Un tatouage en forme de libellule.

— NON !

Je frottai l'image.

— Va-t-en !

Thorn jeta par terre le chiffon qu'elle utilisait pour essuyer le comptoir et se précipita vers moi.

— Qu'est-ce qui ne va pas ?

— L'eau ! criai-je en frissonnant. Mon poignet ! Ça coule sur moi.

— Quoi ? Es-tu blessée ?

— Regarde ! tonnai-je en tendant le bras. Ne le vois-tu pas ?

— Quoi ?

Thorn secoua la tête et, lorsque je baissai les yeux, ma main était à nouveau normale. Le sang et la libellule avaient disparu.

— Dis-moi, Sabine, es-tu malade ?

Je pris une grande respiration.

— Ce n'est pas moi… c'est elle.

— Qui ?

— Danielle.

La peur faisait battre mon cœur à tout rompre.

— Soit je perds la tête, soit je viens d'avoir une vision, un avertissement. Danielle a des ennuis.

— Suis ton instinct.

Thorn ferma le robinet, puis se tourna vers moi.

— Connais-tu son numéro de téléphone ? continua-t-elle.

— Ouais, dis-je, soulagée que Thorn comprenne et qu'elle ne pose pas de questions inutiles.

Quelques secondes plus tard, je composais le numéro de Danielle.

La ligne était occupée.

— Pourquoi cette fille n'a-t-elle pas l'appel en attente ? me plaignis-je en raccrochant brusquement le combiné.

— Veux-tu continuer d'essayer ? demanda Thorn.

— Je ne crois pas que nous ayons le temps. Je ne sais pas ce qui se passe. Je sais simplement que je suis censée secourir Danielle.

— Nous allons lui venir en aide, dit Thorn. Ensemble.

Je courus vers le crochet où Nona laissait habituellement ses clés de voiture, mais elles n'y étaient pas. Je songeai à la nouvelle manie de Nona de cacher les choses là où elle ne pouvait pas les trouver ; je ne pensais pas qu'il valait la peine de chercher. J'allai plutôt dans la chambre de ma grand-mère.

— Nona, j'ai besoin d'utiliser ta voiture, murmurai-je. Sais-tu où tu as laissé tes clés ?

— Hélène, est-ce que c'est toi ? De quoi as-tu besoin ?

Nona se retourna dans le lit et sembla se rendormir. De toute évidence, elle était épuisée ; Hélène était le nom de ma mère. Nous n'avions plus le temps de chercher les clés. Nous devions nous mettre en route.

Il aurait été trop long de marcher jusqu'à la demeure de Danielle ; alors, je me rendis à la remise où je gardais ma bicyclette. Nona avait elle aussi un vélo et je le prêtai à Thorn. Nous nous apprêtions à partir lorsque j'entendis un bruit de moteur et que je vis un nuage de poussière s'approcher de nous. Un camion Dodge blanc s'arrêta devant nous dans un grondement.

Dominic baissa la vitre.

— Avez-vous besoin que je vous dépose quelque part ?

Je fus tentée de demander si Dagger m'avait encore espionnée, mais j'étais si reconnaissante de l'offre que je hochai simplement la tête pour acquiescer.

— Merci. Ce sera plus vite de cette façon.

Thorn observait Dominic. Avait-elle l'intuition qu'il était un être différent, comme nous l'étions toutes les deux ? Ou était-elle intéressée par lui comme l'était Penny-Love ? Nous n'avions pas le temps de faire les présentations. Alors, je ne me préoccupai pas de ça et j'indiquai à Dominic le chemin pour se rendre chez Danielle.

Lorsque, cinq minutes plus tard, le camion ralentit pour s'arrêter, j'avais déjà débouclé ma ceinture de sécurité. Je me précipitai dans l'allée de pierres qui menait à la porte de la résidence de Danielle. Je sonnai, encore et encore, jusqu'à ce qu'un grand homme que je reconnus comme étant le père de Danielle se présente à la porte.

Monsieur Crother fronça les sourcils en me regardant.

— Actionner la sonnette une fois suffit amplement.

— Où est Danielle ?

— En haut, dans sa chambre.

— Je dois la voir tout de suite, dis-je, consciente que Thorn m'avait rejointe. J'ai tenté de téléphoner, mais la ligne était occupée.

— Je surfais sur Internet, avoua le père en nous toisant pendant un moment. Montez, mais Danielle est probablement endormie. Je ne l'ai pas vue depuis des heures.

— Des heures ? répétai-je avec inquiétude.

Je me mis en seconde vitesse pour gravir les escaliers, les pas de Thorn résonnant derrière les miens. J'essayai deux portes, l'une étant celle d'un placard à linge et l'autre donnant sur une salle de bain, avant de pénétrer dans une chambre blanc et rose. On y trouvait une étagère de poupées venant des quatre coins du monde et un lit à baldaquin recouvert d'un édredon en patchwork sur lequel étaient disposés des jouets en peluche.

Par contre, il n'y avait aucune trace de Danielle.

— Alors, où est ton amie ? demanda Thorn.

— Pas ici, avançai-je en fronçant les sourcils. Il y a quelque chose de terrible dans l'air.

Monsieur Crother apparut dans le cadre de porte et scruta la pièce, l'air perplexe.

— C'est bizarre. J'étais certain que Danielle était ici. Elle n'est pas bien en ce moment et elle dort beaucoup.

Derrière le joyeux décor rose de la pièce, il y avait une écrasante aura grise remplie de tristesse.

— Alors, où est-elle ? demandai-je.

— Elle est peut-être avec son petit ami, répondit monsieur Crother en haussant les épaules.

— Ils ne sont plus ensemble, l'informai-je.

— Ah non ? Pourtant, elle ne m'en a rien dit.

— N'avez-vous pas remarqué combien elle était triste dernièrement ?

— En fait, elle ne se sentait pas bien. Je croyais que c'était un petit rhume.

— J'ai bien peur que ce ne soit plus que ça.

Je fronçai les sourcils.

— Savez-vous depuis combien de temps environ elle est partie ?

— Elle ne m'a pas informé qu'elle sortait.

Monsieur Crother se frotta le menton nerveusement.

— Ça ne lui ressemble pas, poursuivit-il. Elle est fiable et nous dit toujours où elle va. Danielle est une si bonne fille.

— Qu'y a-t-il sur son oreiller ? demanda Thorn.

Elle entra dans la chambre et ramassa un papier.

— Cette enveloppe vous est adressée, dit-elle en la remettant à monsieur Crother.

— Vous voyez, je vous disais que ma fille est responsable, rappela monsieur Crother. Elle ne voulait tout simplement pas interrompre mon travail. Alors, elle a laissé une note. Elle fait toujours des choses gentilles comme celle-là.

Il déchira l'enveloppe et en sortit une unique feuille de papier. Pendant qu'il lisait, la couleur se retira de son visage et il s'affaissa sur le lit.

— De quoi s'agit-il ? l'avons-nous questionné, Thorn et moi, en nous approchant de lui.

— Elle ne peut pas ! Elle ne le ferait pas… s'étouffa-t-il sur ses propres mots.

— Est-ce de la part de Danielle ?

Le pauvre père hocha la tête faiblement et tendit la lettre. Il semblait avoir vieilli de vingt ans en quelques secondes et il était troublé.

— Lisez-la. Dites-moi ce que vous en pensez.

Je tins la lettre de façon à ce que Thorn puisse la voir, puis je lus le court message qui disait « Je ne peux plus continuer sans lui, plus maintenant. Excusez-moi d'avoir laissé tomber tout le monde… Danielle ».

J'en eus le souffle coupé.

— Oh, mon Dieu ! m'exclamai-je.

— Ça fait penser à un sui… ! commença Thorn.

Elle se tut lorsqu'elle vit l'expression accablée sur le visage de monsieur Crother. Le père s'empara à nouveau de la lettre et la serra sur sa poitrine. De toute évidence, il était en état de choc.

Je réalisai que mes visions n'avaient rien à voir avec le vandalisme. J'avais tellement mis d'efforts à renier mon don et à jouer les Nancy Drew[6] que je n'avais pas compris que le danger ne viendrait pas d'Evan, mais de Danielle. Bien que le fait de me venger d'Evan ait été des plus satisfaisants, il ne s'agissait que d'une petite victoire. Le cas de Danielle était plus important.

Monsieur Crother sembla se ressaisir. Il sauta sur ses pieds et attrapa le téléphone. Il nous oublia pendant qu'il hurlait des ordres aux policiers. J'étais heureuse qu'il agisse ainsi, mais les policiers trouveraient-ils Danielle assez rapidement ? Un sablier apparut dans ma tête ; il ne contenait pas de sable, mais des minutes de vie qui s'égrenaient.

Danielle pouvait être n'importe où, se trouver à des kilomètres ou se cacher tout près de nous. Je n'avais aucune idée de la façon de la trouver.

« Opal, pensai-je avec désespoir. Interviens, ne serait-ce que pour cette fois, je t'en supplie. Je ne peux pas faire le travail seule. »

Une faible réponse se fit entendre.

6. Nancy Drew est une adolescente menant des enquêtes dans la série de romans du même nom.

Tu n'es pas seule.

« Alors, dis-moi où est Danielle », implorai-je. Puis j'attendis pour entendre une réponse. En vain. D'abord frustrée, je finis par bouillir de colère.

« Je n'ai pas demandé ce qui m'arrive ! pensai-je avec rage. Je ne pourrai pas passer au travers d'une nouvelle tragédie, me demandant toujours si j'aurais pu l'éviter. Tu dis que je ne suis pas seule. Pourtant, je suis debout ici sans réponses ni personne pour m'aider. »

Je sentis une tape sur mon épaule et ma boucle d'oreille en forme de hameçon frappa mon cou alors que je me tournai vers Thorn.

— Est-ce que ça va ? me demanda-t-elle.

Je commençai à secouer la tête, puis je la regardai. Je réalisai alors qu'Opal avait raison. Je n'étais pas seule.

— Thorn ! m'exclamai-je. Tu peux tout trouver, n'est-ce pas ?

— La plupart du temps, admit la gothique. Mais que…

— Et en ce qui concerne les gens ? l'interrompis-je en lui agrippant les mains. Peux-tu trouver Danielle ?

27

THORN PASSA EN REVUE LES ANIMAUX EN
peluche posés sur le lit de Danielle puis, les
yeux bien fermés afin de se concentrer, elle
prit un lapin rose et le serra contre elle.

— Je n'ai jamais fait ça auparavant,
murmura-t-elle, pas pour une personne.

— Ça ne peut pas être tellement différent que lorsque tu trouves une poignée d'épée ou des clés perdues.

— Oh oui, c'est différent !

Thorn fronça les sourcils et ses pensées glissèrent doucement dans un recoin de son esprit. De longues secondes s'écoulèrent avant qu'elle ne parle.

— C'est vague, j'ai une impression de distance.

— De quelle ampleur ?

— Plus d'un kilomètre ; je ne sais pas de combien plus. Ça ne marche pas !

Thorn lança le lapin rose par terre.

— J'essaie vraiment, poursuivit-elle, mais ce n'est pas un jeu, c'est une question de vie… ou de mort. Je ne suis pas sûre qu'elle… qu'elle soit encore…

— N'y pense même pas ! lui criai-je. C'est toi qui me dis de rester positive. Alors, suis ton propre conseil. Essaie plus fort… tu peux y arriver.

— Peut-être que si je touchais à quelque chose qu'elle a tenu récemment, suggéra-t-elle.

Elle ramassa l'enveloppe que le père de Danielle avait mise de côté et passa ses doigts sur l'écriture irrégulière de la lettre.

— Alors ? demandai-je avec impatience.

— C'est mieux. Danielle se trouve dans un endroit qu'elle connaît bien, un endroit qui la rendait autrefois heureuse... À présent, il n'y a que le désespoir.

— La maison d'Evan ? tentai-je de deviner.

— Ça se pourrait, mais j'ai l'impression qu'il ne s'agit pas d'une maison. C'est plutôt un vaste espace à ciel ouvert, gazonné, où il y a des bancs.

Thorn se frotta le front, grimaçant comme si elle ressentait de la douleur.

— Un parc ? suggérai-je.

— Non, ça ne semble pas ça. Il y a un lien avec l'école.

— La cour d'école ? Elle est gazonnée et il y a des bancs. Pourtant, je ne pense pas qu'elle irait là.

— En es-tu certaine ?

Je me mordis les lèvres. Comment pouvais-je être sûre de quoi que ce soit ? Si quelqu'un m'avait dit que Danielle était suicidaire, je ne l'aurais pas cru. J'avais reçu des avertissements et vu des libellules ensanglantées. J'aurais dû prévoir, être une meilleure amie, essayer d'aider la pauvre fille.

Tu es en train de l'aider, m'assura Opal. *Ouvre ton esprit et fais-toi confiance.*

À ce moment, comme par magie, je compris. Un éclair de lucidité apparut brusquement dans ma tête : je vis des rangées de bancs étagées et un terrain gazonné mal entretenu. Une petite silhouette triste était étendue dans la poussière.

— Pas des bancs, des gradins ! lançai-je, excitée. Je sais où est Danielle !

— Tu le sais ? demanda Thorn.

— À l'école, dis-je avec détermination. Tu avais raison à ce propos. Nous devons nous y rendre avant qu'il ne soit trop tard, si ce n'est pas déjà !

La nuit était tombée et, quand nous nous ruâmes vers le camion de Dominic, les phares étaient allumés et le moteur tournait. Après avoir donné une brève explication, Thorn et moi montâmes à bord et Dominic fit vrombir le moteur. Nous nous dirigeâmes vers l'école à toute vitesse. Personne ne se plaignit que Dominic dépasse la limite de vitesse permise.

J'espérais que le garçon soit protégé par une armée d'anges car il passa outre à deux panneaux d'arrêt, se contentant de ralentir et de jeter un coup d'œil rapide avant de reprendre de la vitesse. Les pneus crissèrent lorsque nous arrivâmes à l'école. Dominic ne tourna pas vers le stationnement, mais continua jusqu'au stationnement avant réservé aux professeurs et aux autobus.

— Le terrain de football ! m'exclamai-je après avoir pris une grande respiration. Elle est là, près des gradins, là où elle avait l'habitude de regarder Evan.

Thorn nous dit d'aller rejoindre Danielle pendant qu'elle appelait les secours. Dominic et moi ne ralentîmes pas, nos pieds résonnant sur le pavé. Nous nous dirigeâmes vers les gradins, et c'est là que nous avons trouvé la pauvre fille.

Elle était étendue dans la poussière, immobile et fragile, le sang s'accumulant autour de ses bras grands ouverts. Elle ne bougeait pas et son visage avait la pâleur de la mort.

— Oh, mon Dieu ! m'écriai-je d'une voix rauque, craintive. Nous sommes arrivés trop tard !

Dominic s'agenouilla à côté de Danielle et lui prit le pouls.

— Est-elle… ? demandai-je d'une voix tremblante.

— Non, mais elle est en très mauvais état.

Soulagée, j'expirai longuement.

— Tiens bon, Danielle, murmurai-je. Tu t'en sortiras.

Je n'obtins pas de réponse.

Dominic arracha la bande de cuir qu'il portait sur son bras comme perchoir à faucon. Il l'enroula serré autour du poignet de Danielle afin de ralentir le saignement.

Tout à coup, une lumière aveuglante apparut et, pendant un moment, je pensai que les anges venaient chercher Danielle. Cependant, je réalisai que quelqu'un venait d'allumer les lumières sur le terrain. En me retournant, je vis Thorn qui guidait un jeune préposé nerveux vers nous.

En quelques minutes, il y eut une cohue étourdissante de voix, de sirènes et d'uniformes. Danielle reçut les premiers soins et fut embarquée vivement dans une ambulance. Je montai avec elle ; elle avait l'air si seule et semblait avoir grand besoin d'une amie. Thorn et Dominic me dirent qu'ils me retrouveraient à l'hôpital une fois qu'ils auraient répondu aux questions des policiers.

C'était mon premier voyage en ambulance. Cependant, je me concentrais sur Danielle, qui ne répondait pas aux efforts des ambulanciers s'affairant sur elle. Il n'y avait rien d'autre à faire que d'attendre... et de prier.

À l'hôpital, on m'indiqua une salle d'attente. Hébétée, je me suis assise dans une chaise de plastique rigide.

Tout près, une jeune mère se mordait les lèvres en tenant un bébé qui dormait, et un vieil homme fixait d'un regard absent une télévision fixée dans la partie supérieure d'un mur.

Et je patientai.

Pendant que les minutes s'égrenaient lentement à l'horloge murale, je pensai à Danielle et au fait que la vie soit tellement précieuse et si fragile. La pauvre était sur une voie dangereuse depuis un bon moment, mais personne ne s'en était rendu compte. Elle avait été ce que tout le monde attendait d'elle : la fille parfaite, l'étudiante émérite et la petite amie loyale. Pourtant, ce n'avait pas été suffisant et, quelque part en chemin, elle s'était perdue. Elle avait si bien gardé ses secrets que, sans mes visions, il aurait sûrement été trop tard pour la sauver.

« Elle doit s'en sortir », songeai-je, fixant toujours l'horloge. Je croisai la jambe droite, puis la gauche. Je pris un magazine et le mis de côté sans le regarder. Je changeai de chaise pour mieux observer la porte. Que se passait-il ?

La porte s'ouvrit brusquement. Le père de Danielle entra, accompagné d'une femme svelte aux cheveux noirs, sans aucun doute la mère de Danielle. La dame se laissa tomber dans le fauteuil voisin du couple avec un bébé. Le père de Danielle, quant à lui, me remarqua et vint me retrouver.

— Merci, me dit-il.

— Pour quoi ?

— Les policiers ont dit que tu avais trouvé Danielle. Elle tient bon, mais le docteur nous a appris que si elle avait perdu juste un peu plus de sang…

Le père sentit sa voix craquer.

— Nous aurions… poursuivit-il. Nous aurions perdu notre fille.

— Je suis heureuse qu'elle s'en tire.

— Tu lui as sauvé la vie. Je… j'étais désemparé en lisant sa lettre. Je n'avais aucune idée où la chercher. Mais tu l'as trouvée. Comment savais-tu ?

— Mes amis m'ont aidée. Nous ne savions pas vraiment non plus ; c'était simplement une supposition chanceuse.

— Ou la réponse à nos prières, suggéra monsieur Cother en me serrant la main avec force.

Je sus à cet instant que je pouvais lui dire la vérité quant à la façon dont j'avais décou-vert Danielle. Il ne me traiterait ni de monstre ni de folle. Il me croirait.

Des ailes soulevèrent le lourd poids que je portais à l'intérieur de moi et il s'envola doucement. Le fait de prédire de mauvaises choses ne signifiait pas que je les provoquais et, cette fois, j'avais sauvé une vie.

28

Après quelques heures, Dominic et Thorn vinrent me chercher à l'hôpital. Nous laissâmes Thorn devant une maison de plain-pied où des jouets jonchaient un petit carré sur le gazon avant. Puis, Dominic et moi nous dirigeâmes vers la maison. Quand il descendit de son camion, nous entendîmes un cri au-dessus de nos têtes et son faucon voltigea vers le sol pour l'accueillir.

— Dagger veut une collation, dit Dominic avec un sourire fatigué. Je serai dans la grange si tu as besoin de quoi que ce soit.

Je le regardai dans les yeux, lui envoyant un message silencieux de remerciement. Il opina, ce qui sembla suffisant pour le moment.

Je me sentais étrangement heureuse et je me dépêchai vers la maison. Nona avait dû surveiller mon arrivée, car elle sortit en hâte en renversant presque Lillybelle de son perchoir favori qu'était la main courante de la véranda.

— Oh, chérie ! Comment est ton amie ?

— Vivante.

— Remercions le ciel.

— Elle survivra, mais il faudra du temps avant qu'elle puisse revenir à l'école.

— Pauvre enfant. Ses problèmes doivent être ancrés profondément en elle.

— Aucun problème ne mérite que l'on se tue pour lui. Pourquoi a-t-elle fait quelque chose de si idiot ? Simplement parce que son petit ami l'avait laissée tomber ?

— Je suis certaine qu'il s'agit de plus que ça, répliqua Nona. J'ai vu des clients remplir le vide qui les habitait en s'accrochant à quelqu'un d'autre.

— Comme Evan, dis-je en plissant le front.

— Ton amie doit apprendre à s'aimer elle-même. Avec des personnes qui la soutiendront, elle ira bien.

— Je l'espère.

— Je suis fière de toi, ma douce, dit Nona en m'étreignant de nouveau.

— Je n'ai rien fait d'extraordinaire.

— Tu as suivi ton cœur et utilisé ton don pour secourir cette fille.

— Mon don ? dis-je en regardant Nona de façon circonspecte. Mais tu as dit que je l'avais perdu en grandissant.

— Pendant un moment, j'ai cru que c'était le cas. Tu as bien joué ton jeu et tu m'as presque convaincue. C'est toi qui as rejeté ton talent.

— Ainsi, tu me crois ?

— Je n'ai jamais vraiment cessé de te croire, mais je savais que c'était ton choix de suivre ou non tes talents. Et je suis ravie que tu aies pris la bonne décision.

— Es-tu sûre que ce soit la bonne ? demandai-je. J'entends des voix, je vois des choses que les autres ne voient pas et il m'arrive d'avoir des avertissements qui me font peur. Quel genre de don est-ce donc ?

— Il est précieux. Ton talent n'est pas à ton service, mais à celui du monde qui t'entoure.

Grand-mère me regarda gravement dans les yeux.

— Sabine, mon ange, *tu* es le don, ajouta-t-elle.

* * *

Cette nuit-là, un bruit sec m'éveilla brusquement d'un rêve dans lequel ma mère était devenue une géante qui me pourchassait autour de la grange en essayant de m'écraser sous des bottes de la grosseur d'un camion et munies de piques.

Je me redressai d'un coup dans mon lit et regardai dans la pièce en m'attendant à voir maman sortir soudainement de l'ombre. Je fixai ma chambre et je tirai un réconfort de la douce lueur jaune provenant de ma veilleuse en forme de visage qui sourit. Je n'avais pas besoin de vérifier dans le livre d'interprétation des rêves de Nona pour comprendre mon cauchemar. Juste avant que je ne me mette au lit, Nona m'avait annoncé la mauvaise nouvelle. Ma mère avait rappelé encore une fois, sauf que plutôt que de laisser un nouveau message que je pourrais ignorer, elle viendrait me voir la semaine prochaine.

J'aurais préféré être écrasée par des bottes géantes à piques.

Or, ce n'était pas le rêve qui m'avait réveillée, réalisai-je en entendant un bruit sec et un cri provenant du rez-de-chaussée.

J'enfilai une robe de chambre et je me hâtai vers le cabinet de travail de Nona. La porte du bureau était grande ouverte et un triangle de lumière traversait le couloir. Ma grand-mère était assise sur le sol avec une pile de papiers ; elle avait un regard terrifié.

— Je... je ne le trouve pas, murmurat-elle, alors que des larmes coulaient sur ses joues.

— Quoi ? l'interrogeai-je en m'assoyant près d'elle pour lui tenir doucement la main.

— C'est ça le problème... je ne sais pas.

— Que se passe-t-il ? Nona, tu me fais peur.

— Je me fais peur aussi.

Nona eut un petit rire fragile et s'essuya la joue.

— Je remettais toujours le moment de te le dire, expliqua-t-elle, mais il le faut à présent.

— Je ne comprends pas.

— Tu comprendras bientôt.

Des papiers s'éparpillèrent lorsque grand-mère se leva.

— Suis-moi, ordonna-t-elle.

Il y avait quelque chose de désespéré et de déterminé dans sa voix, ce qui m'empêcha de poser d'autres questions. En silence, je marchai derrière elle. Elle sortit de la maison, dépassa le poulailler et entra dans la grange. Elle alluma, puis appela Dominic qui était dans son loft.

— Pourquoi sommes-nous ici ? murmurai-je nerveusement. Nous allons réveiller Dominic.

— C'est ça l'idée.

Une porte du loft grinça en s'ouvrant et la tête échevelée de Dominic apparut. Je ne pouvais voir que le torse du garçon et un bout de son short foncé.

En voyant l'expression sombre de Nona, il disparut un moment pour revenir complètement habillé. Il ouvrit la porte en signe d'invitation et j'emboîtai le pas à Nona.

Dominic tira deux chaises et nous fit signe de nous asseoir. Installé sur le bord de son lit défait, il nous faisait face. Je trouvai étrange le fait d'être assise si près de lui. Je m'empressai de déplacer ma chaise de quelques cen- timètres vers l'arrière.

Nona serrait un bout de sa robe de chambre en tissu éponge en se mordillant les lèvres.

— Dominic, c'est arrivé encore une fois… mais en pire.

— Est-ce que tu vas bien ?

— Là n'est pas la question pour l'instant. Je dois être franche avec vous deux.

Nona fit une courte pause.

— Ce que j'ai à vous dire n'est pas facile, annonça-t-elle d'une voix chevrotante.

— Tu n'es pas obligée de dire quoi que ce soit, répliqua Dominic d'un ton protecteur.

— Je le veux… pendant que je le peux encore.

Je regardai Nona, perplexe.

— Est-ce que ça a quelque chose à voir avec ce que tu as perdu ce soir ? demandai-je.

— Ça en fait partie. Tu as probablement remarqué que, dernièrement, il m'arrivait souvent d'oublier ou d'égarer des choses. Au début, il s'agissait de petits incidents comme perdre des clés ou ne pas me rappeler du nom d'un client. Puis, ce soir, j'ai paniqué et j'ai commencé à mettre mon cabinet de travail sens dessus dessous.

— Qu'as-tu perdu ? m'enquis-je.

— Il ne s'agit pas de ce que j'ai perdu, mais de ce que je perds.

Grand-mère haussa les épaules et lança un regard assuré et déterminé à Dominic.

— Va chercher la boîte.

— Mais, tu m'as dit de ne jamais…

— Va la chercher pour moi, répliqua fermement Nona. S'il te plaît.

Dominic sentit sa mâchoire se contracter, mais il ne discuta pas davantage. Il se leva et traversa la pièce, puis s'arrêta devant une toile accrochée au mur qui représentait un paysage. Il souleva le tableau et le déposa par terre, puis il appuya d'une main sur la cloison, où je vis le contour rectangulaire d'un placard secret.

— Voici, dit Dominic un peu en colère, en retirant une vieille boîte en argent pour la remettre à Nona. J'espère que tu fais la bonne chose.

— Qu'est-ce que c'est… la boîte de Pandore ? dis-je en faisant une petite farce.

Or, personne ne rit et je sentis que ma blague recelait une profonde vérité.

Nona n'ouvrit pas la boîte ; elle s'empara plutôt de ma main.

— Sabine, il y a quelque chose que je t'ai caché, m'avoua-t-elle.

Je m'apprêtais à l'interrompre, mais elle leva la main pour m'indiquer de me taire.

— Laisse-moi parler avant que je perde courage. Tu vois, je... je ne vais pas bien. C'est une maladie héréditaire. Elle remonte à environ trois cents ans.

— Nona ! m'exclamai-je en m'étouffant. Tu n'es pas...

— Non, ce n'est pas mortel, mais ce pourrait tout aussi bien l'être, avoua grand-mère d'un ton rempli d'amertume. J'ai vu ma grand-tante Letitia en souffrir et, lorsque j'ai fini par apprendre qu'il existait une potion pour en guérir, on ne pouvait plus rien pour elle.

— Il y a donc un remède ? demandai-je avec espoir.

— Oui, mais...

Nona sentit sa voix craquer.

— Mais il a été perdu pendant une période sombre de l'histoire de notre famille, expliqua-t-elle. L'une de nos ancêtres avait créé une potion mais elle a dû la cacher lorsqu'on l'a accusée d'être une sorcière. Les indications menant à sa cachette furent réparties entre ses quatre filles, incluant une grand-tante très éloignée.

— Ces indices se trouvent dans la boîte ?

— Non, mais c'est une piste… et Dominic m'aide à essayer de la comprendre.

— Pourquoi lui et pas moi ? demandai-je en combattant ma peine.

— Tu connais la réponse à ça, répliqua Nona avec un regard entendu.

Je m'enfonçai dans ma chaise en me blâmant d'avoir renié mon don pendant si longtemps. Tout ce temps que j'avais perdu alors que j'aurais pu aider Nona.

— Ce soir, je ne me souvenais même pas d'être entrée dans mon cabinet de travail, continua Nona avec la peur dans la voix. Ça arrive de plus en plus souvent ; certains moments de la journée deviennent comme des trous noirs. Ce sont des instants, des minutes, des souvenirs perdus. Bientôt, je pourrais même t'oublier.

Bien que j'eusse le cœur brisé, je ravalai mes larmes en tentant de toutes mes forces d'être brave devant grand-mère. Je n'avais jamais été aussi heureuse de ma vie que pendant les mois que j'avais passés avec elle. Je ne pouvais pas perdre ce bonheur… la perdre elle.

— Que puis-je faire pour aider ? demandai-je.

— Travailler avec Dominic pour trouver le remède.

— Lui ?

Je lançai un regard plein de ressentiment à Dominic, puis je ravalai ma fierté et je fis lentement signe que oui avec la tête.

— D'accord. Par où dois-je commencer ?

— Avec ceci.

Grand-mère leva la boîte d'argent tarabiscotée et la plaça doucement dans mes mains.

— Tout ce dont tu as besoin est à l'intérieur. Vas-y… ouvre-la.

Fin

VISIONS

Procurez-vous le tome 2 de la collection

* * *

Sabine et Dominic peuvent-ils mettre
de côté leurs différends assez longtemps
pour sauver Nona ?
Sabine sera-t-elle capable de conserver
l'amitié de Penny-Love et de Thorn ?
Découvrez-le dans :
Visions n° 2 : *La dernière danse*

VISIONS

Procurez-vous le tome 3 de la collection

* * *

La boule de cristal